ESTE LIBRO ES PROPIEDAD DE

Mi libro
DE HISTORIAS
BÍBLICAS

© 2004
WATCH TOWER BIBLE AND TRACT SOCIETY OF PENNSYLVANIA
Derechos reservados

Mi libro de historias bíblicas

Editores
D.R. © 1989, 2005
LA TORRE DEL VIGÍA, A.R.
Heraldo 104, Col. Clavería, 02080 México, D.F.

Publicado en español: 1978
Primera edición en México: 1989
Primera edición rústica: 2005
Decimocuarta reimpresión: 2010

Las citas de la Biblia en este libro están parafraseadas. Se han puesto en lenguaje sencillo para que a los niñitos se les haga posible captar el sentido de ellas. Las referencias que se dan al fin de cada historia suministran la fuente bíblica.

My Book of Bible Stories
Spanish (*Smy*-S)

Esta obra se imprimió en febrero de 2010, en la imprenta de La Torre del Vigía, A.R., Av. Jardín 10, Fracc. El Tejocote, 56239 Texcoco, Edo. de Méx. La reimpresión consta de 324.058 ejemplares.

(ISBN 968-7260-14-9 Primera edición)
ISBN 968-5004-63-3 Primera edición rústica

Printed in Mexico   Impreso en México

MI LIBRO
DE HISTORIAS BÍBLICAS

ESTE es un libro de historias reales. Se han tomado del libro más grandioso del mundo, la Biblia. Los relatos te dan una historia del mundo desde cuando Dios empezó a crear hasta nuestro mismo día. Hasta te dicen lo que Dios promete hacer en el futuro.

Este libro te da una idea de las cosas que la Biblia contiene. Te habla acerca de la gente de la Biblia y de las cosas que hicieron. También muestra la magnífica esperanza que Dios ha dado a la gente de que vivan para siempre en una Tierra hecha un paraíso.

Hay 116 historias en el libro. Están agrupadas en ocho partes. Una página al principio de cada parte dice en pocas palabras lo que hay en esa parte. Los relatos aparecen en el orden en que los sucesos se presentaron en la historia. Esto te ayuda a aprender cuándo pasaron estas cosas en la historia con relación a otras.

Las historias se cuentan en lenguaje sencillo. Muchos niñitos podrán leerlas por sí mismos. Los padres verán que a sus hijitos les deleitará que les lean estas historias muchas veces. Se verá que este libro contiene muchas cosas interesantes, para jóvenes y mayores.

Al fin de cada historia se dan citas bíblicas. Se te estimula a leer estas partes de la Biblia en que se basan las historias.

CONTENIDO

PARTE 1   CREACIÓN A DILUVIO

1   Dios empieza las cosas
2   Un lindo jardín
3   Empieza la humanidad
4   Cómo perdieron su hogar
5   Empieza una vida dura

6   Un hijo bueno, y uno malo
7   Un hombre valiente
8   Gigantes en la Tierra
9   Noé hace un arca
10 El gran Diluvio

PARTE 2   DILUVIO A LIBERACIÓN EN EGIPTO

11 El primer arco iris
12 La gente hace la gran torre
13 Abrahán... amigo de Dios
14 La fe de Abrahán probada
15 La mujer de Lot miró atrás
16 Una buena esposa para Isaac
17 Gemelos que eran diferentes
18 Jacob va a Harán
19 La gran familia de Jacob
20 Dina cae en dificultades
21 Sus hermanos odian a José
22 José metido en prisión

23 Los sueños de Faraón
24 José prueba a sus hermanos
25 La familia se muda a Egipto
26 Job es fiel a Dios
27 Un rey malo manda en Egipto
28 Se salva al bebé Moisés
29 Por qué huyó Moisés
30 El arbusto ardiente
31 Moisés y Aarón ven a Faraón
32 Las 10 plagas
33 Cruzando el mar Rojo

PARTE 3   LIBERACIÓN EN EGIPTO
A PRIMER REY DE ISRAEL

34 Un alimento nuevo
35 Jehová da sus leyes
36 El becerro de oro

37 Una tienda para adorar
38 Los 12 espías
39 La vara de Aarón florece

40	Moisés hiere la roca	48	Los sabios gabaonitas
41	La serpiente de cobre	49	El Sol se detiene
42	Un asna habla	50	Dos mujeres valientes
43	Josué hecho líder	51	Rut y Noemí
44	Rahab oculta a los espías	52	Gedeón y sus 300 hombres
45	Cruzando el río Jordán	53	La promesa de Jefté
46	Los muros de Jericó	54	El hombre más fuerte
47	Un ladrón en Israel	55	Un niñito sirve a Dios

PARTE 4   PRIMER REY DE ISRAEL A CAUTIVERIO EN BABILONIA

56	Saúl primer rey de Israel	67	Josafat confía en Jehová
57	Dios escoge a David	68	Dos niños vuelven a vivir
58	David y Goliat	69	La niña ayuda al grande
59	Por qué huye David	70	Jonás y el gran pez
60	Abigaíl y David	71	Dios promete un paraíso
61	David hecho rey	72	Dios ayuda a Ezequías
62	Ayes en la casa de David	73	Último buen rey de Israel
63	El sabio rey Salomón	74	Un hombre que no teme
64	Salomón edifica el templo	75	Cuatro niños en Babilonia
65	El reino se divide	76	Jerusalén destruida
66	Jezabel la reina inicua		

PARTE 5   CAUTIVERIO A RECONSTRUCCIÓN DE LAS MURALLAS DE JERUSALÉN

77	Nada los hizo inclinarse	81	Confiando en ayuda divina
78	Escritura en la pared	82	Mardoqueo y Ester
79	Daniel entre los leones	83	Los muros de Jerusalén
80	Israel sale de Babilonia		

PARTE 6   NACIMIENTO A MUERTE DE JESÚS

84   Un ángel visita a María

85   Jesús nace en un establo

86   Siguen una estrella

87   Jesús joven en el templo

88   Juan bautiza a Jesús

89   Jesús limpia el templo

90   Con la mujer en el pozo

91   Jesús enseña en una montaña

92   Jesús levanta a los muertos

93   Jesús alimenta a muchos

94   Ama a los niñitos

95   Cómo enseña Jesús

96   Jesús sana a los enfermos

97   Jesús viene como Rey

98   En el monte de los Olivos

99   En un cuarto superior

100   Jesús en el jardín

101   Matan a Jesús

PARTE 7   RESURRECCIÓN DE JESÚS
A APRISIONAMIENTO DE PABLO

102   Jesús está vivo

103   Dentro, a puertas cerradas

104   Jesús vuelve al cielo

105   Esperan en Jerusalén

106   Libres de la prisión

107   Esteban apedreado

108   Camino a Damasco

109   Pedro visita a Cornelio

110   Timoteo ayudante de Pablo

111   Un niño que se durmió

112   A salvo en una isla

113   Pablo en Roma

PARTE 8   LO QUE LA BIBLIA PREDICE SE CUMPLE

114   El fin de toda maldad

115   Nuevo paraíso terrestre

116   Cómo vivir para siempre

Preguntas de estudio
para MI LIBRO DE HISTORIAS BÍBLICAS

Las preguntas para las historias
aparecen después de la historia 116.

Creación a Diluvio

¿De dónde vinieron los cielos y la Tierra? ¿Cómo se formaron el Sol, la Luna y las estrellas, así como las muchas cosas que hay en la Tierra? La Biblia da la contestación verídica cuando dice que todo fue creado por Dios. Por eso nuestro libro empieza con historias bíblicas acerca de la creación.

Aprendemos que las primeras creaciones de Dios fueron personas de espíritu parecidas a él. Eran ángeles. Pero la Tierra fue creada para gente como nosotros. Por eso Dios hizo al hombre y la mujer llamados Adán y Eva y los puso en un lindo jardín. Pero ellos desobedecieron a Dios y perdieron el derecho a seguir viviendo.

En total, desde la creación de Adán hasta el gran Diluvio hubo 1.656 años. Durante ese tiempo vivieron muchas personas malas. Allá en el cielo estaban personas invisibles de espíritu, Satanás y sus ángeles malos. En la Tierra, estuvieron Caín y muchas otras personas malas, entre ellas unos hombres que eran raros por su mucho poder. Pero hubo también gente buena en la Tierra... Abel, Enoc y Noé. En esta Parte Número UNO leeremos acerca de todas estas personas y sucesos.

DIOS EMPIEZA LAS COSAS

TODO lo bueno nos ha venido de Dios. El hizo el Sol para darnos luz de día, y la Luna y las estrellas para darnos alguna luz de noche. Y la Tierra para que vivamos en ella.

Pero el Sol, la Luna, las estrellas y la Tierra no fueron lo primero que Dios hizo. ¿Sabes qué fue eso? Fue personas como él mismo. A éstas no las podemos ver, tal como no vemos a Dios. La Biblia llama ángeles a estas personas. Dios hizo a los ángeles para que vivieran con él en el cielo.

El primer ángel que Dios hizo fue muy especial. Fue el primer Hijo de Dios, y trabajó con su Padre. Ayudó a Dios a hacer todas las demás cosas. Le ayudó a hacer el Sol, la Luna, las estrellas y también nuestra Tierra.

¿Cómo era la Tierra entonces? Al principio nadie podía vivir en la Tierra. Solo había un gran océano de agua que lo cubría todo. Pero Dios quería que en la Tierra viviera gente. Por eso, empezó a prepararla para nosotros. ¿Qué hizo?

Bueno, primero la Tierra necesitaba luz. Por eso Dios hizo que la luz del Sol brillara sobre la Tierra. Hizo esto de modo que pudiera haber noche y día. Después hizo que la tierra subiera por encima del agua del océano.

Primero no había nada sobre la tierra. Se parecía a esta lámina que ves aquí. No había flores ni árboles ni animales. No había peces en los océanos. Dios tenía mucho trabajo que hacer para que los animales y la gente pudieran vivir una vida buena en la Tierra.

Jeremías 10:12; Colosenses 1:15-17; Génesis 1:1-10.

UN LINDO JARDÍN

¡**M**IRA la Tierra! ¡Qué bello está todo! Mira la hierba y los árboles, las flores y todos los animales. ¿Ves dónde están el elefante y los leones?

¿De dónde salió este lindo jardín? Bueno, vamos a ver cómo Dios preparó la Tierra para nosotros.

En primer lugar, Dios hizo hierba verde para cubrir la tierra. E hizo toda clase de plantitas y arbustos y árboles. Estas cosas que crecen hacen más bella la Tierra. Pero logran más. Muchas nos dan también alimentos sabrosos.

Dios después hizo los peces para que nadaran en el agua y los pájaros para volar en el cielo. Hizo perros y gatos y caballos; animales grandes y pequeños. ¿Hay animales cerca de tu casa? ¡Qué bueno fue Dios al hacerlo todo para nosotros!

Al final, Dios hizo que una parte de la Tierra fuera muy especial. La llamó el jardín de Edén. Era perfecto. Todo allí era lindo. Y Dios quería que toda la Tierra llegara a ser como este bello jardín que había hecho.

Pero mira la lámina otra vez. ¿Sabes lo que Dios vio que faltaba en este jardín? Vamos a ver.

Génesis 1:11-25; 2:8, 9.

EMPIEZA LA HUMANIDAD

¿QUE hay diferente en esta lámina? Sí, las personas que ves. Son el primer hombre y la primera mujer. ¿Quién los hizo? Dios. ¿Sabes el nombre de él? Es Jehová. Y al hombre y la mujer se les llegó a llamar Adán y Eva.

Jehová Dios hizo a Adán así: tomó polvo del suelo y con él formó un cuerpo perfecto de hombre. Entonces sopló en la nariz del hombre, y Adán empezó a vivir.

Dios tenía un trabajo para Adán. Le dijo que diera nombre a todas las diferentes clases de animales. Adán quizás estudió a los animales por mucho tiempo para dar el mejor nombre a todos. Mientras Adán hacía esto, empezó a ver una cosa. ¿Sabes lo que era aquella cosa?

Los animales estaban en pares. Había elefantes y elefantas, y había leones y leonas. Pero Adán no tenía una compañera suya. Por eso, Jehová hizo que Adán se quedara bien dormido, y le sacó del lado un hueso de costilla. Usando esta costilla, Jehová hizo para Adán una mujer que llegó a ser su esposa.

¡Qué contento estaba Adán ahora! ¡Y qué feliz tiene que haberse sentido Eva por estar en tan lindo jardín para vivir! Ahora podían tener hijos y vivir juntos en felicidad.

Jehová quería que Adán y Eva vivieran para siempre. Quería que hicieran que toda la Tierra fuera tan bonita como el jardín de Edén. ¡Cuánto se deben haber alegrado Adán y Eva al pensar en hacer esto! ¿Te hubiera gustado tener parte en hacer de la Tierra un bonito jardín? Pero la felicidad de Adán y Eva no duró. Vamos a ver por qué.

Salmo 83:18; Génesis 1:26-31; 2:7-25.

MIRA lo que está pasando. Se está echando a Adán y Eva del jardín de Edén. ¿Sabes por qué?

Es porque hicieron algo muy malo. Y por eso Jehová los está castigando. ¿Sabes lo que hicieron Adán y Eva?

Hicieron algo que Dios les dijo que no hicieran. Dios les dijo que podían comer de los árboles del jardín. Pero de un árbol les dijo que no comieran; si comían, morirían. Ese lo guardaba para sí. Y sabemos que es malo tomar lo que es de otro, ¿verdad? Entonces, ¿qué pasó?

Un día cuando Eva estaba sola en el jardín, una culebra le habló. ¡Imagínate! Ella le dijo a Eva que comiera del fruto del árbol del cual Dios les dijo que no comieran. Bueno, cuando Jehová hizo las culebras no las hizo para que hablaran. Por eso, había otra persona que hacía hablar a la culebra. ¿Quién era?

No era Adán. Por eso tenía que ser una de las personas que Jehová había hecho mucho antes de hacer la Tierra. Esas personas eran ángeles, y no se les puede ver. Este ángel se había hecho muy orgulloso. Empezó a pensar que debería ser gobernante como Dios y que se debería obedecer a él en vez de a Jehová. El hizo que la culebra hablara.

Este ángel pudo engañar a Eva. Cuando le dijo que ella sería como Dios si comía del fruto, ella le creyó. Por eso comió, y Adán hizo igual. Adán y Eva desobedecieron a Dios, y por eso perdieron su lindo hogar, el jardín.

Pero un día Dios va a hacer que toda la Tierra sea tan bonita como el jardín de Edén. Después veremos cómo tú puedes participar en esto. Ahora veamos qué les pasó a Adán y Eva.

Génesis 2:16, 17; 3:1-13, 24; Revelación 12:9.

EMPIEZA UNA VIDA DURA

FUERA del jardín de Edén, Adán y Eva tuvieron muchos problemas. Tuvieron que trabajar duro para comer. En vez de árboles frutales lindos, vieron crecer muchas espinas y abrojos alrededor. Esto pasó cuando Adán y Eva desobedecieron a Dios y dejaron de ser Sus amigos.

Pero peor aún fue que Adán y Eva empezaron a morir. Recuerda: Dios les dijo que morirían si comían de cierto árbol. Bueno, el mismo día en que comieron

empezaron a morir. ¡Qué tontos fueron por no escuchar a Dios!

Todos los hijos de Adán y Eva nacieron después que Dios echó a sus padres del jardín de Edén. Esto quiere decir que los hijos también tendrían que envejecer y morir.

Si Adán y Eva hubieran obedecido a Jehová, la vida hubiera sido feliz para ellos y sus hijos. Pudieran haber vivido para siempre en felicidad en la Tierra. Nadie tendría que haber envejecido ni haber enfermado y muerto.

Dios quiere que la gente viva para siempre en felicidad, y promete que algún día será así. No solo será linda toda la Tierra, sino que toda la gente será saludable. Y todos serán buenos amigos unos de otros y de Dios.

Pero Eva ya no era amiga de Dios. Por eso, no se le hacía fácil dar a luz hijos. Tenía dolores. Sí, en verdad el haber sido desobediente a Jehová le trajo muchísimo dolor, ¿no te parece?

Adán y Eva tuvieron muchos hijos e hijas. Cuando les nació su primer hijo, lo llamaron Caín. Al segundo hijo lo llamaron Abel. ¿Sabes lo que les pasó a éstos?

Génesis 3:16-23; 4:1, 2; Revelación 21:3, 4.

MIRA ahora a Caín y Abel. Ambos han crecido. Caín se ha hecho agricultor. El se ocupa en el cultivo de granos y frutas y vegetales.

Abel cría ovejas. A él le gusta cuidar los corderitos. Estos crecen y llegan a ser ovejas grandes, y pronto Abel tiene un rebaño entero de ovejas para atenderlo.

Un día Caín y Abel le llevan un regalo a Dios. Caín lleva alimento que él ha cultivado. Y Abel lleva la mejor oveja que tiene. A Jehová le agradan Abel y su regalo. Pero no le agradan Caín y su regalo. ¿Sabes por qué?

No es solo que el regalo de Abel sea

mejor que el de Caín. Es porque Abel es bueno. Ama a Jehová y a su hermano. Pero Caín es malo; no ama a su hermano.

Por eso Dios le dice a Caín que debe cambiar. Pero Caín no le hace caso. Está muy enojado porque Dios ha preferido a Abel. Caín le dice a Abel: 'Vamos allá al campo.' Allá, cuando están solos, Caín golpea a su hermano. Le da tan duro que lo mata. ¿No te parece terrible que Caín hiciera eso?

Aunque Abel murió, Dios todavía lo recuerda. Abel era bueno, y Jehová nunca olvida a personas que son así. Por eso un día Jehová Dios hará que Abel vuelva a la vida. En ese tiempo Abel nunca tendrá que morir. Podrá vivir para siempre aquí en la Tierra. ¿No será bueno conocer a personas como él?

Pero a Dios no le agradan personas como Caín. Por eso, después que Caín mató a su hermano, Dios lo castigó enviándolo lejos del resto de su familia. Cuando Caín se fue para vivir en otra parte de la Tierra, se llevó consigo a una de sus hermanas, y ella llegó a ser su esposa.

Con el tiempo Caín y su esposa empezaron a tener hijos. Otros hijos e hijas de Adán y Eva se casaron y también tuvieron hijos. Pronto hubo muchas personas en la Tierra. Conozcamos algunas. Génesis 4:2-26; 1 Juan 3:11, 12; Juan 11:25.

CUANDO empezó a haber más gente en la Tierra, la mayoría hicieron cosas malas como Caín. Pero un hombre fue diferente. El nombre de éste era Enoc. El era un hombre valiente. La gente que estaba viviendo alrededor de él era gente mala, pero él seguía sirviendo a Dios.

¿Sabes por qué aquella gente cometía tantas cosas malas? Piensa en esto: ¿Quién hizo que Adán y Eva desobedecieran a Dios y comieran del fruto que Dios les prohibió? Un ángel malo. La Biblia lo llama Satanás. Y él trata de hacernos malos a todos.

Un día Jehová Dios hizo que Enoc dijera a la gente algo que ellos no querían oír. Fue esto: 'Un día Dios va a destruir a todos los malos.' Esto quizás enojó mucho a la gente. Quizás trataron de matar a Enoc. Por eso, Enoc tenía que ser un hombre muy valiente para que dijera a la gente lo que Dios iba a hacer.

Dios no dejó que Enoc viviera por mucho tiempo entre aquellos malos. Solo vivió 365 años. ¿Por qué decimos "solo 365"? Porque en aquellos tiempos los hombres eran mucho más fuertes que ahora y vivían más. ¡Sí; Matusalén el hijo de Enoc vivió 969 años!

Pues bien, después de la muerte de Enoc, la gente se hizo peor. La Biblia dice que 'todo lo que ellos pensaban era malo

siempre,' y 'la Tierra llegó a estar llena de violencia.'

¿Sabes una de las razones por las cuales hubo tantas y tantas dificultades en aquellos días? Fue que Satanás tuvo una nueva manera de llevar a la gente a lo malo. Veamos qué fue eso.

Génesis 5:21-24, 27; 6:5; Hebreos 11:5; Judas 14, 15.

SI ALGUIEN que viniera hacia ti fuera tan alto que la cabeza le llegara al techo de tu casa, ¿qué pensarías? ¡Que era un gigante! Hubo un tiempo en que de veras hubo gente de esa clase en la Tierra. La Biblia muestra que sus padres eran ángeles del cielo. Pero ¿cómo pudo ser eso?

Recuerda, Satanás el ángel malo estaba causando problemas. Hasta estaba tratando de hacer que los ángeles de Dios fueran malos. Con el tiempo, algunos ángeles empezaron a prestar atención a Satanás. Dejaron la obra que Dios tenía para ellos en el cielo. Vinieron a la Tierra y se hicieron cuerpos humanos. ¿Sabes por qué?

La Biblia dice que fue porque ellos vieron a las mujeres bonitas en la Tierra y quisieron vivir con ellas. Por eso vinieron y se casaron con ellas. La Biblia dice que esto fue malo, porque Dios hizo a los ángeles para vivir en el cielo.

Cuando los ángeles y sus esposas tuvieron bebés, éstos eran diferentes. Al principio quizás no parecían muy diferentes. Pero siguieron creciendo y creciendo, y haciéndose más y más fuertes, hasta que se convirtieron en gigantes.

Estos gigantes eran malos. Y por ser tan grandes y fuertes, causaban daño a la gente. Trataban de obligar a todos a ser malos como ellos.

Enoc había muerto, pero había un hombre en la Tierra ahora que era bueno. Este hombre se llamaba Noé. El siempre hacía lo que Dios quería que hiciera.

Un día Dios le dijo a Noé que había llegado el tiempo en que El iba a destruir a todos los malos. Pero Dios salvaría a Noé y su familia y a muchos animales. Veamos cómo lo hizo.

Génesis 6:1-8; Judas 6.

NOÉ HACE UN ARCA

NOE tenía una esposa y tres hijos. Los hijos se llamaban Sem, Cam y Jafet. Cada hijo tenía una esposa. Así que había ocho personas en la familia de Noé.

Ahora Dios hizo que Noé hiciera una cosa rara. Le dijo que hiciera un arca grande. El arca era grande como un barco, pero más bien parecía una caja grande y larga. 'Hazla de tres pisos,' dijo Dios, 'y ponle cuartos.' Los cuartos eran para Noé y su familia, los animales y el alimento para todos.

Dios le dijo a Noé que hiciera el arca de modo que no le entrara agua. Dijo: 'Voy a enviar un gran diluvio de agua y destruir al mundo entero. El que no esté en el arca morirá.'

Noé y sus hijos obedecieron a Dios y empezaron a construir. Pero la demás gente solo se rió. Siguieron siendo malos. Nadie creyó cuando Noé les dijo lo que Dios iba a hacer.

Por lo grande que era, tomó mucho tiempo hacer el arca. Después de muchos años, quedó hecha. Ahora Dios dijo a Noé que metiera los animales allí. Le dijo que pusiera allí dos de algunas clases de animales, macho y hembra. Pero de otros animales, Dios le dijo que pusiera allí siete. También le dijo a Noé que trajera allí todas las diferentes clases de pájaros. Noé hizo precisamente lo que Dios dijo.

Después, Noé y su familia también entraron en el arca. Entonces Dios cerró la puerta. Dentro, Noé y su familia esperaron. Piensa que estás allí, esperando. ¿Habría un diluvio como había dicho Dios?

Génesis 6:9-22; 7:1-9.

EL GRAN DILUVIO

FUERA del arca, la gente seguía su vida como antes. Todavía no creían que el Diluvio vendría. Tienen que haberse reído más que nunca. Pero poco tiempo después dejaron de estar riéndose.

De repente empezó a caer agua. Cayó del cielo como cuando uno derrama agua de un cubo. ¡Noé tenía razón! Pero ya nadie más podía meterse en el arca. Jehová Dios había cerrado bien la puerta.

Pronto todo el terreno bajo quedó cubierto. El agua parecía grandes ríos. Empujaba los árboles y movía grandes piedras y hacía mucho ruido. La gente se asustó. Subieron a terreno más alto. ¡Ay, cuánto deseaban haber prestado atención a Noé y haberse metido en el arca cuando todavía tenían la puerta abierta! Pero ahora era demasiado tarde.

El agua siguió subiendo y subiendo. Por 40 días y 40 noches cayó agua del cielo. Subió por las montañas, y pronto hasta las más altas quedaron cubiertas. Tal como Dios había dicho, toda persona y animal que estaba fuera del arca murió. Pero todo el que estaba dentro estaba a salvo.

Noé y sus hijos habían hecho un buen trabajo al hacer el arca. El agua la levantó, y ella flotó por encima. Entonces, un día, cuando dejó de llover, el Sol empezó a brillar. ¡Qué vista! Había solo un gran océano por todas partes. Y lo único que se podía ver era el arca flotando encima.

Ya no había gigantes. No volverían para causar daño a la gente. Todos habían muerto, junto con sus madres y la demás gente mala. Pero ¿qué les pasó a sus padres?

Los padres de los gigantes no eran en verdad gente humana como nosotros. Eran ángeles que habían bajado a la Tierra para vivir como hombres. Por eso, cuando vino el Diluvio, no murieron con la demás gente. Dejaron de usar los cuerpos humanos que habían hecho, y volvieron al cielo como ángeles. Pero ya no se les permitió ser de la familia de ángeles de Dios. Se hicieron ángeles de Satanás. En la Biblia a estos ángeles se les llama demonios.

Dios ahora hizo que un viento soplara, y las aguas del diluvio empezaron a bajar. Cinco meses después el arca quedó encima de una montaña. Pasaron muchos días, y los que estaban dentro pudieron mirar afuera y ver la cumbre de las montañas. Las aguas siguieron bajando y bajando.

Entonces Noé dejó que un pájaro negro llamado un cuervo saliera del arca. Este volaba un rato y entonces volvía porque no podía hallar un buen lugar donde quedarse. Siguió haciendo esto, y cada vez que volvía se posaba sobre el arca.

Noé quería ver si las aguas se habían escurrido de la tierra, así que después mandó una paloma desde el arca. Esta volvió también, porque no encontró dónde quedarse. Noé la mandó por segunda vez, y ella volvió con una hoja de olivo en el pico. Las aguas habían bajado. Noé envió la paloma por tercera vez, y por fin ésta halló un lugar seco donde vivir.

Ahora Dios le habló a Noé. Le dijo: 'Sal del arca. Lleva contigo a toda tu familia y los animales.' Habían estado en el arca más de un año entero. ¡Imagínate lo contentos que estaban de estar afuera otra vez y vivos!

Génesis 7:10-24; 8:1-17; 1 Pedro 3:19, 20.

Diluvio a liberación en Egipto

Solo ocho personas sobrevivieron el Diluvio, pero con el tiempo llegaron a ser muchos miles. Entonces, 352 años después del Diluvio, nació Abrahán. Aprendemos cómo Dios cumplió su promesa al darle a Abrahán un hijo llamado Isaac. Entonces, de los dos hijos de Isaac, Jacob fue escogido por Dios.

Jacob tuvo una familia grande de 12 hijos y algunas hijas. Los 10 hijos de Jacob odiaron a su hermano más joven, José, y lo vendieron para que fuera esclavo en Egipto. Más tarde, José llegó a ser un importante gobernante de Egipto. Cuando vino un hambre mala, José puso a prueba a sus hermanos para ver si habían cambiado de actitud. Al fin toda la familia de Jacob, los israelitas, se mudaron a Egipto. Esto sucedió 290 años después del nacimiento de Abrahán.

Durante los siguientes 215 años los israelitas vivieron en Egipto. Después de la muerte de José, llegaron a ser esclavos allí. Con el tiempo nació Moisés, y Dios lo usó para librar de Egipto a los israelitas. En total, se cubren 857 años de historia en la Parte DOS.

¿**S**ABES lo primero que hizo Noé cuando él y su familia salieron del arca? El hizo una ofrenda o regalo a Dios. Míralo haciendo esto en el dibujo de abajo. Noé ofreció este regalo de animales para dar gracias a Dios por haber salvado del gran diluvio a su familia.

¿Crees que a Jehová le agradó el regalo? Sí, le agradó. Y por eso le prometió a Noé que nunca más destruiría al mundo con un diluvio.

Pronto toda la tierra se secó, y Noé y su familia empezaron una nueva vida fuera del arca. Dios los bendijo y les dijo: 'Tienen que tener muchos hijos. Tienen que aumentar hasta que haya gente viviendo por toda la Tierra.'

Pero después, cuando la gente oyera acerca del gran diluvio, pudiera ser que temieran que un diluvio como aquél sucediera otra vez. Por eso Dios dio algo que le recordaría a la gente Su promesa de nunca más cubrir con agua toda la Tierra. ¿Sabes lo que dio para que recordaran eso? Fue un arco iris.

Muchas veces el arco iris se ve en el cielo cuando el Sol brilla después de una lluvia. El arco iris puede tener muchos bellos colores. ¿Has visto uno alguna vez? ¿Ves el de la lámina?

Esto fue lo que Dios dijo: 'Prometo que nunca más será destruida toda la gente y los animales por un diluvio. Estoy poniendo mi arco iris en las nubes. Y cuando el arco iris aparezca, yo lo veré y recordaré esta promesa mía.'

Por eso, cuando veas un arco iris, ¿qué debes recordar? Sí, la promesa de Dios de que él nunca más destruirá al mundo por medio de un gran diluvio.

Génesis 8:18-22; 9:9-17.

PASARON muchos años. Los hijos de Noé tuvieron muchos hijos. Y sus hijos crecieron y tuvieron más hijos. Pronto hubo mucha gente en la Tierra.

Una de estas personas fue un bisnieto de Noé llamado Nemrod. El era malo y cazaba y mataba animales y hombres. Nemrod también se hizo rey para gobernar a otras personas. A Dios no le gustaba Nemrod.

Toda la gente de aquel tiempo hablaba un solo lenguaje. Nemrod quería mantenerlos juntos para él poder gobernarlos. Por eso, ¿sabes lo que hizo? Les dijo que hicieran una ciudad y una gran torre en ella. En la lámina los ves haciendo ladrillos.

A Jehová Dios no le agradó este edificio. El quería que la gente se fuera de allí y viviera por toda la Tierra. Pero ellos dijeron: '¡Vamos! Hagamos una ciudad y una torre tan alta que su parte de arriba llegue a los cielos. ¡Entonces seremos famosos!' Querían honor para sí, no para Dios.

Por eso Dios hizo que la gente dejara de hacer la torre. ¿Sabes cómo lo hizo? Hizo que de repente las personas hablaran diferentes lenguajes, en vez de uno solo. Ya no se entendían los unos a los otros. Por eso su ciudad llegó a llamarse Babel, o Babilonia, que quiere decir "Confusión."

Ahora la gente empezó a irse de Babel. Los grupos que hablaban el mismo lenguaje se fueron a vivir juntos en otras partes de la Tierra.

Génesis 10:1, 8-10; 11:1-9.

ABRAHÁN... AMIGO DE DIOS

UNO de los lugares adonde la gente fue a vivir después del Diluvio se llamaba Ur. Ur llegó a ser una ciudad importante con casas bonitas. Pero la gente de allí adoraba dioses falsos. Eso hacían en Babel también. La gente de Ur y Babel no eran como Noé y su hijo Sem, que siguieron sirviendo a Jehová.

Al fin, 350 años después del diluvio, el fiel Noé murió. Solo dos años después nació el hombre que ves en este cuadro. Era una persona muy especial para Dios. Se llamaba Abrahán. Vivía con su familia en aquella ciudad de Ur.

Un día Jehová le dijo a Abrahán: 'Deja a Ur y tus parientes, y ve a un país que te voy a mostrar.' ¿Obedeció él a Dios y dejó atrás todas las comodidades de Ur? Sí. Y porque Abrahán siempre obedecía a Dios se le llegó a conocer como el amigo de Dios.

Parte de la familia de Abrahán salió con él cuando él se fue de Ur. Su padre Taré salió. También su sobrino Lot. Y, claro, también su esposa, Sara. Con el tiempo todos llegaron al sitio llamado Harán, y Taré murió. Estaban lejos de Ur.

Después Abrahán y su casa salieron de Harán y llegaron a la tierra llamada Canaán. Allí Jehová dijo: 'Esta es la tierra que daré a tus hijos.' Abrahán se quedó en Canaán y vivió en tiendas de campaña.

Dios empezó a ayudar a Abrahán y éste llegó a tener grandes rebaños de ovejas y otros animales y cientos de siervos. Pero él y Sara no tenían hijos suyos.

Cuando Abrahán tenía 99 años, Jehová dijo: 'Te prometo que serás padre de muchas naciones de gente.' Pero ¿cómo podía llegar a ser esto, cuando Abrahán y Sara eran muy viejos ahora para tener un hijo? Génesis 11:27-32; 12:1-7; 17:1-8, 15-17; 18:9-19.

LA FE DE ABRAHÁN PROBADA

¿**P**UEDES ver lo que está haciendo Abrahán? Tiene un cuchillo, y parece que va a matar a su hijo. ¿Por qué? Primero, veamos cómo consiguieron su hijo Abrahán y Sara.

Recuerda, Dios les prometió que tendrían un hijo. Pero eso parecía imposible, porque Abrahán y Sara eran tan viejos. Pero Abrahán creía que Dios podía hacer lo que parecía imposible. Por eso, ¿qué pasó?

Después que Dios hizo su promesa, pasó un año entero. Entonces, cuando Abrahán tenía 100 años y Sara 90, tuvieron un nene llamado Isaac. ¡Dios había cumplido su promesa!

Pero cuando Isaac tenía más edad, Jehová probó la fe de Abrahán. Llamó: '¡Abrahán!' Y Abrahán contestó: '¡Aquí estoy!' Entonces Dios dijo: 'Toma a tu hijo, tu único hijo, Isaac, y ve a la montaña que te voy a mostrar. Allí mata a tu hijo y ofrécelo como sacrificio.'

¡Qué triste puso esto a Abrahán, porque Abrahán amaba mucho a su hijo! Y recuerda, Dios había prometido que los hijos de Abrahán vivirían en la tierra de Canaán. Pero ¿cómo podría pasar eso si Isaac estuviera muerto? Abrahán no entendía, pero todavía obedeció a Dios.

Cuando llegó a la montaña, Abrahán ató a Isaac y lo puso sobre el altar que había hecho. Entonces sacó el cuchillo para matar a su hijo. Pero en ese mismo momento el ángel de Dios llamó: '¡Abrahán, Abrahán!' Y Abrahán contestó: '¡Aquí estoy!'

'No le hagas daño ni nada al muchacho,' dijo Dios. 'Ahora sé que tienes fe en mí, porque no has retenido a tu hijo, tu único hijo, de mí.'

¡Qué gran fe tenía Abrahán en Dios! El creía que nada le era imposible a Jehová, y que Jehová podía hasta levantar de entre los muertos a Isaac. Pero en verdad Dios no quería que Abrahán matara a Isaac; hizo que una oveja se enredara en arbustos cerca y le dijo a Abrahán que la sacrificara en vez de a Isaac.

Génesis 21:1-7; 22:1-18.

L OT y su familia vivían junto con Abrahán en la tierra de Canaán. Un día Abrahán le dijo a Lot: 'Aquí no hay bastante tierra para todos nuestros animales. Vamos a separarnos, por favor. Si tú vas para un lado, yo iré para el otro.'

Lot miró la tierra. Vio una muy buena parte del país que tenía agua y mucha buena hierba para sus animales. Era el Distrito del Jordán. Por eso, Lot mudó a su familia y animales allí. Al fin hicieron su casa en la ciudad de Sodoma.

La gente de Sodoma era muy mala. Esto molestaba a Lot, porque él era bueno. Dios también estaba molesto. Al fin, Dios envió a dos ángeles a avisarle a Lot que iba a destruir a Sodoma y la ciudad cercana de Gomorra porque eran malas.

Los ángeles le dijeron a Lot: '¡Aprisa! ¡Toma a tu esposa y tus dos hijas y sal de aquí!' Lot y su familia se tardaban, y por eso los ángeles los tomaron de la mano y los sacaron de la ciudad. Entonces uno de los ángeles dijo: '¡Corran por su vida! No miren atrás. Corran a los montes, para que no mueran.'

Lot y sus hijas obedecieron y huyeron de Sodoma. No se detuvieron ni un momento, y no miraron atrás. Pero la esposa de Lot desobedeció. Cuando se habían alejado algo de Sodoma, se paró y miró atrás. Entonces la mujer de Lot se convirtió en un pilar de sal. ¿Puedes verla en la lámina?

De esto podemos aprender una buena lección: que Dios salva a los que le obedecen, pero los que no le muestran obediencia pierden la vida. Génesis 13:5-13; 18:20-33; 19:1-29; Lucas 17:28-32; 2 Pedro 2:6-8.

¿**C**ONOCES a la mujer de esta lámina? Se llama Rebeca. Y el hombre al cual ella va es Isaac. Ella va a ser la esposa de él. ¿Cómo pasó esto?

Bueno, Abrahán, el padre de Isaac, quería una buena esposa para su hijo. No quería que Isaac se casara con una de las mujeres de Canaán, porque aquella gente adoraba a dioses falsos. Por eso Abrahán llamó a su siervo y le dijo: 'Quiero que vuelvas a donde viven mis parientes en Harán y consigas una esposa para mi hijo Isaac.'

En seguida el siervo de Abrahán tomó consigo diez camellos e hizo el largo viaje. Cuando se acercaba al lugar donde vivían los parientes de Abrahán, se detuvo en un pozo. Era casi de noche, cuando las mujeres de la ciudad iban a sacar agua del pozo. Por eso el siervo de Abrahán dijo en oración a Jehová: 'Que la mujer que consiga agua para mí y los camellos sea la que tú escoges para ser esposa de Isaac.'

Pronto vino Rebeca para conseguir agua. Cuando el siervo le pidió de beber, ella le dio agua. Entonces ella fue y consiguió bastante agua para todos los camellos sedientos. Trabajó duro, porque los camellos beben muchísima agua.

Cuando Rebeca terminó, el siervo de Abrahán le preguntó el nombre de su padre. También preguntó si él podía pasar la noche en la casa de ellos. Ella dijo: 'Mi padre es Betuel, y hay sitio para ti en casa.' El siervo de Abrahán sabía que Betuel era hijo de Nacor, el hermano de Abrahán. Por eso se arrodilló y dio gracias a Jehová por llevarlo a los parientes de Abrahán.

Aquella noche el siervo de Abrahán le dijo a Betuel y a Labán, el hermano de Rebeca, por qué había venido. Ambos dijeron que Rebeca podía ir con él y casarse con Isaac. ¿Qué dijo Rebeca cuando le preguntaron? Dijo que sí, que quería ir. Por eso, el mismo día siguiente montaron en los camellos y empezaron el largo viaje para volver a Canaán.

Cuando llegaron, era de noche. Rebeca vio a un hombre andando en el campo. Era Isaac. El se alegró de ver a Rebeca. Sara, la madre de él, había muerto solo tres años antes, y él todavía estaba triste por ello. Pero ahora Isaac llegó a amar mucho a Rebeca, y fue feliz otra vez.

Génesis 24:1-67.

LOS dos muchachos que ves son muy diferentes, ¿verdad? ¿Sabes cómo se llaman? El cazador es Esaú, y el muchacho que cuida las ovejas es Jacob.

Esaú y Jacob eran hijos gemelos de Isaac y Rebeca. Al padre, Isaac, le gustaba mucho Esaú, porque era buen cazador y traía a la casa alimento para que la familia comiera. Pero Rebeca amaba más a Jacob, porque era tranquilo y apacible.

El abuelo Abrahán todavía estaba vivo, y podemos imaginarnos cuánto le gustaba a Jacob oírle hablar acerca de Jehová. Abrahán al fin murió a los 175 años, cuando los gemelos tenían 15 años.

Cuando Esaú tenía 40 años de edad se casó con dos mujeres de la tierra de Canaán. Esto puso muy tristes a Isaac y Rebeca, porque estas mujeres no adoraban a Jehová.

Entonces, un día pasó algo que hizo que Esaú se enojara mucho con su hermano Jacob. Vino el tiempo en que Isaac iba a dar una bendición a su hijo mayor. Porque Esaú era mayor que Jacob, Esaú esperaba recibir esta bendición. Pero ya Esaú había vendido el derecho de recibir la bendición a Jacob. También, cuando los dos muchachos nacieron, Dios había dicho que Jacob recibiría la bendición. Y esto es lo que pasó. Isaac dio la bendición a su hijo Jacob.

Después, cuando Esaú supo esto, se enojó con Jacob. Estaba tan enojado que dijo que iba a matar a Jacob. Cuando Rebeca supo esto, se preocupó mucho. Por eso, le dijo a Isaac su esposo: 'Va a ser terrible soportarlo si Jacob también se casa con una de estas mujeres de Canaán.'

Por eso Isaac llamó a su hijo Jacob y le dijo: 'No te cases con una mujer de Canaán. En vez de eso, ve a la casa de tu abuelo Betuel en Harán. Cásate con una de las hijas de su hijo Labán.'

Jacob obedeció a su padre, y enseguida empezó su largo viaje a donde vivían sus parientes en Harán.

Génesis 25:5-11, 20-34; 26:34, 35; 27:1-46; 28:1-5; Hebreos 12:16, 17.

¿**S**ABES quiénes son estos hombres con quienes habla Jacob? Después de viajar muchos días, Jacob los encontró cerca de un pozo. Estaban cuidando sus ovejas. Jacob preguntó: '¿De dónde son?'

'De Harán,' dijeron.

'¿Conocen a Labán?' preguntó Jacob.

'Sí,' contestaron. 'Mira, aquí viene su hija Raquel con el rebaño de ovejas de él.' ¿Puedes tú ver a Raquel acercándose?

Cuando Jacob vio a Raquel con las ovejas de su tío Labán, fue y quitó la piedra del pozo para que las ovejas pudieran beber.

Entonces Jacob besó a Raquel y le dijo quién era. Ella se emocionó mucho, y fue a su casa y le contó a su padre Labán lo que pasó.

Labán se alegró mucho de que Jacob se quedara en casa de él. Y cuando Jacob le dijo que quería casarse con Raquel, Labán se alegró. Pero le pidió a Jacob que trabajara en su campo siete años por Raquel. Jacob hizo esto, porque amaba mucho a Raquel. Pero cuando llegó el tiempo para el casamiento, ¿sabes lo que pasó?

Labán le dio su hija mayor, Lea, a Jacob, en vez de Raquel. Cuando Jacob concordó en trabajar para Labán otros siete años, Labán también le dio como esposa a Raquel. En aquellos tiempos Dios les permitía a los hombres tener más de una esposa. Pero ahora, como muestra la Biblia, deben tener una sola.

Génesis 29:1-30.

FIJATE en esta gran familia. Estos son los 12 hijos de Jacob. Y él tuvo hijas también. ¿Sabes los nombres de algunos de los hijos? Vamos a aprender algunos.

Lea dio a luz a Rubén, Simeón, Leví y Judá. Cuando Raquel vio que no estaba teniendo hijos, se puso muy triste. Por eso dio a Jacob su sierva Bilha, y Bilha tuvo dos hijos llamados Dan y Neftalí. Entonces Lea también dio a Jacob su sierva Zilpa, y Zilpa dio a luz a Gad y Aser. Finalmente Lea tuvo otros dos hijos, Isacar y Zabulón.

Al fin Raquel pudo tener un hijo. Le dio el nombre de José. Más tarde aprenderemos mucho más acerca de José, porque él llegó a ser una persona muy importante. Estos fueron los 11 hijos que le nacieron a Jacob cuando vivía con Labán el padre de Raquel.

Jacob también tuvo algunas hijas, pero la Biblia solo da el nombre de una de ellas. Se llamaba Dina.

Llegó el tiempo en que Jacob decidió dejar a Labán y volver a Canaán. Por eso reunió a su gran familia y sus grandes rebaños de ovejas y hatos de ganado, y empezó el largo viaje.

Algún tiempo después de haber vuelto Jacob y su familia a Canaán, Raquel dio a luz otro hijo. Esto pasó cuando estaban en un viaje. Le fue mal a Raquel, y al fin murió cuando daba a luz. Pero el nenito estaba bien. Jacob lo llamó Benjamín.

Queremos recordar los nombres de los 12 hijos de Jacob porque toda la nación de Israel vino de ellos. De hecho, las 12 tribus de Israel tienen los nombres de diez hijos de Jacob y dos hijos de José. Isaac vivió por muchos años después del nacimiento de todos estos muchachos, y debe haberse alegrado de tener tantos nietos. Pero veamos lo que le sucedió a su nieta Dina.

Génesis 29:32-35; 30:1-26; 35:16-19; 37:35.

DINA CAE EN DIFICULTADES

¿**V**ES a quiénes va a visitar Dina? Va a ver a unas muchachas que viven en la tierra de Canaán. ¿Alegraría esto a su padre Jacob? Algo que te ayudará a contestar esta pregunta es tratar de recordar lo que pensaban Abrahán e Isaac acerca de las mujeres de Canaán.

¿Quería Abrahán que su hijo Isaac se casara con una muchacha de Canaán? No. ¿Querían Isaac y Rebeca que su hijo Jacob se casara con una cananea? No. ¿Sabes por qué?

Era porque esta gente de Canaán adoraba a dioses falsos. No eran gente buena para tenerlos como esposos y esposas, y no eran gente buena para tenerlos como amigos íntimos. Por eso podemos estar seguros de que a Jacob no le agradaría que su hija buscara amistad con estas cananeas.

Dina se metió en dificultades, sí. ¿Puedes ver en el cuadro a ese cananeo que está mirando a Dina? Se llama Siquem. Un día cuando Dina vino de visita, Siquem obligó a Dina a acostarse con él. Esto era malo, porque solo hombres y mujeres casados deben acostarse juntos. Esta cosa mala que Siquem le hizo a Dina llevó a mucha más dificultad.

Cuando los hermanos de Dina oyeron lo que había pasado, se enojaron mucho. Dos de ellos, Simeón y Leví, se enojaron tanto que, llevando espadas, entraron por sorpresa en la ciudad. Ellos y sus hermanos mataron a Siquem y a todos los otros hombres. Esta mala cosa que hicieron los hijos de Jacob enojó mucho a su padre.

¿Cómo empezó toda esta dificultad? Fue por la amistad de Dina con gente que no obedecía las leyes de Dios. Nosotros no buscaremos tales amistades, ¿verdad?

Génesis 34:1-31.

¡**M**IRA qué triste y sin esperanza está este muchacho! Es José. Sus hermanos acaban de venderlo a estos hombres que van a Egipto. Allí harán esclavo a José. ¿Por qué han hecho esta cosa mala sus medio hermanos? Porque envidian a José.

El padre de ellos, Jacob, amaba muchísimo a José. Le mostró favor haciéndole una bonita vestidura larga. Cuando sus 10 hermanos mayores vieron cuánto amaba Jacob a José, empezaron a sentir envidia y a odiar a José. Pero también había otra razón por la cual lo odiaban.

José tuvo dos sueños. En los dos sueños de José sus hermanos se inclinaban ante él. El odio de sus hermanos se hizo peor todavía cuando José les contó estos sueños.

Un día, cuando los hermanos mayores de José están atendiendo las ovejas de su padre, Jacob le pide a José que vaya y vea cómo les va. Cuando los hermanos de José lo ven venir, algunos de ellos dicen: '¡Vamos a matarlo!' Pero el mayor, Rubén, dice: '¡No, no hagan eso!' En vez de eso, echan a José en un pozo de agua que está seco. Entonces se sientan para ponerse a decidir qué van a hacer con su hermano José.

Para este tiempo vienen unos ismaelitas. Judá dice a sus medio hermanos: 'Vamos a venderlo a los ismaelitas.' Y eso hicieron. ¡Vendieron a José por 20 piezas de plata! ¡Qué vil y falto de bondad fue eso!

¿Qué dirán a su padre los hermanos? Matan una cabra y meten muchas veces la bella vestidura de José en la sangre de la cabra. Entonces le llevan la vestidura a su padre Jacob y dicen: 'Hallamos esto. Míralo, y ve si no es la vestidura de José.'

Jacob ve que eso es. 'Un animal salvaje tiene que haber matado a José,' clama. Y eso es lo que los hermanos de José quieren que su padre piense. Jacob se pone muy triste. Llora por muchos días. Pero José no está muerto. Veamos lo que le pasa donde lo llevan.

Génesis 37:1-35.

JOSÉ METIDO EN PRISIÓN

JOSE tiene solo 17 años cuando lo llevan abajo a Egipto. Allí lo venden a un hombre llamado Potifar. Potifar trabaja para el rey de Egipto, a quien llaman Faraón.

José trabaja duro para su amo, Potifar. Por eso, cuando José se hace mayor, Potifar le encarga toda su casa. Entonces, ¿por qué está José en la prisión? Por la esposa de Potifar.

Cuando José crece es un hombre muy hermoso, y la esposa de Potifar quiere que él se acueste con ella. Pero José sabe que eso sería malo, y no quiere. La esposa de Potifar se enoja mucho. Por eso, cuando su esposo viene, le miente y dice: '¡Ese malo José trató de acostarse conmigo!' Potifar le cree a su esposa, y se enoja mucho con José. Hace que lo metan en prisión.

El encargado de la prisión pronto ve que José es un buen hombre. Por eso lo pone a cargo de todos los otros prisioneros. Más tarde Faraón se enoja con su copero y su panadero, y los mete en prisión. Una noche, cada uno de éstos tiene un sueño especial, pero no saben lo que significa. El día siguiente José dice: 'Cuéntenme sus sueños.' Y entonces José, con la ayuda de Dios, explica el significado de sus sueños.

Al copero, José dice: 'En tres días saldrás de la prisión, y serás el copero de Faraón de nuevo.' Por eso José añade: 'Cuando salgas, habla de mí a Faraón, y ayúdame a salir de aquí.' Pero al panadero, José dice: 'En solo tres días Faraón te cortará la cabeza.'

En tres días sucede tal como dijo José. Faraón le corta la cabeza al panadero. Pero al copero lo sacan de prisión y él empieza a servir al rey de nuevo. ¡Pero se olvida de José! No le habla de él a Faraón, y José tiene que quedarse en prisión.

Génesis 39:1-23; 40:1-23.

LOS SUEÑOS DE FARAÓN

PASAN dos años, y José todavía está en prisión. El copero no se ha acordado de él. Entonces una noche Faraón tiene dos sueños muy especiales, y se pregunta qué significan. ¿Lo ves durmiendo ahí? La mañana siguiente Faraón llama a sus sabios y les dice lo que ha soñado. Pero ellos no pueden decirle el significado de sus sueños.

Ahora el copero al fin se acuerda de José. Le dice a Faraón: 'Cuando yo estaba en prisión había allí un hombre que podía decir el significado de los sueños.' Faraón hace sacar de la prisión a José enseguida.

Faraón le cuenta a José sus sueños: 'Vi siete vacas gordas, hermosas. Entonces vi siete vacas muy flacas y huesudas. Y las flacas se comieron a las vacas gordas.

'En mi segundo sueño vi siete espigas de grano lleno y maduro que crecían en un solo tallo. Entonces vi siete espigas de grano delgadas y secas. Y las espigas de grano delgadas empezaron a tragarse a las siete espigas buenas.'

José le dice a Faraón: 'Los dos sueños significan lo mismo. Las siete vacas gordas y las siete espigas de grano llenas significan siete años, y las siete vacas flacas y las siete espigas de grano delgadas significan otros siete años. Habrá siete años en que crecerá mucho alimento en Egipto. Entonces habrá siete años en que crecerá muy poco alimento.'

Por eso, José le dice a Faraón: 'Escoge a un hombre sabio y encárgale recoger alimento durante los siete años buenos. Entonces la gente no se morirá de hambre en los otros siete años malos en que habrá muy poco alimento.'

A Faraón le gusta la idea. Y escoge a José para que recoja el alimento, y lo almacene. Después de Faraón, José llega a ser el hombre más importante de Egipto.

Ocho años después, durante el hambre, José ve a unos hombres que vienen. ¿Sabes quiénes son? ¡Son sus 10 hermanos mayores! Jacob el padre de ellos los ha enviado a Egipto porque se les ha estado acabando el alimento a ellos allá en el país de Canaán. José reconoce a sus hermanos, pero ellos no lo reconocen a él. ¿Sabes por qué? Porque José tiene más edad, y está vestido con ropas de una clase diferente.

José recuerda que cuando él era niño había soñado que sus hermanos venían a inclinarse ante él. ¿Recuerdas que leíste acerca de eso? Por eso José puede ver que es Dios quien lo ha enviado a Egipto, y por buena razón. ¿Qué crees que José hace? Vamos a ver.

Génesis 41:1-57; 42:1-8; 50:20.

JOSE quiere saber si sus 10 hermanos mayores todavía son viles y faltos de bondad. Por eso dice: 'Ustedes son espías. Han venido a averiguar dónde es débil nuestro país.'

'No, no somos eso,' dicen ellos. 'Somos hombres honrados. Todos somos hermanos. Eramos 12. Pero un hermano ya no es, y el más joven está en casa con nuestro padre.'

José finge que no les cree. Hace que el hermano llamado Simeón quede en prisión, y deja que los otros lleven alimento y se vayan a su hogar. Pero les dice: 'Cuando vuelvan, tienen que traerme al hermano más joven con ustedes.'

Cuando regresan a su hogar en Canaán, los hermanos le dicen a su padre Jacob todo lo que ha pasado. Jacob está muy triste. 'José ya no es,' clama, 'y ahora Simeón no es. No dejaré que se lleven a mi hijo más joven, Benjamín.' Pero cuando se les va acabando el alimento, Jacob tiene que dejar que se lleven a Benjamín a Egipto para que puedan conseguir más alimento.

Ahora José ve venir a sus hermanos. Se alegra mucho de ver a su hermano más joven, Benjamín. Claro, ninguno de ellos sabe que este hombre importante es José. José ahora hace algo para probar a sus 10 medio hermanos.

Hace que sus siervos llenen de alimento todos los sacos de ellos. Pero sin decírselo, también hace que sus siervos metan su copa especial de plata en el saco de Benjamín. Después que todos se van y están a alguna distancia en el camino, José envía a sus siervos tras ellos. Cuando los alcanzan, los siervos dicen: '¿Por qué han robado la copa de plata de nuestro amo?'

'No hemos robado su copa,' dicen todos los hermanos. 'Si encuentran que uno de nosotros la tiene, que maten a ése.'

Por eso los siervos buscan en todos los sacos, y encuentran la copa en el saco de Benjamín, tal como ves aquí. Los siervos dicen: 'Los demás pueden irse, pero Benjamín tiene que venir con nosotros.' ¿Qué harán ahora los 10 medio hermanos?

Todos vuelven con Benjamín a la casa de José. José dice a sus hermanos: 'Todos pueden irse a su hogar, pero Benjamín tiene que quedarse aquí como esclavo mío.'

Ahora Judá habla, y dice: 'Si yo vuelvo allá sin el muchacho, mi padre morirá, porque lo ama mucho. Por eso, por favor, déjame aquí como esclavo, pero deja ir al muchacho.'

José puede ver que sus hermanos han cambiado. Ya no son viles ni faltos de bondad. Veamos qué hace José ahora.

Génesis 42:9-38; 43:1-34; 44:1-34.

JOSE ya no puede contenerse. Dice a todos sus siervos que salgan del cuarto. Cuando está solo con sus hermanos, José empieza a llorar. Podemos imaginarnos lo sorprendidos que están sus hermanos, porque no saben por qué él llora. Al fin, él dice: 'Yo soy José. ¿Está vivo todavía mi padre?'

Sus hermanos quedan tan sorprendidos que no pueden hablar. Tienen miedo. Pero José dice: 'Acérquense, por favor.' Cuando lo hacen, dice: 'Soy su hermano José, a quien vendieron a Egipto.'

José sigue hablando bondadosamente: 'No se culpen porque me vendieron acá. En verdad fue Dios quien me envió a Egipto para salvar vidas de personas. Faraón me ha hecho el gobernante de todo el país. Por eso vuelvan aprisa a mi padre y díganle esto. Y díganle que venga a vivir aquí.'

Entonces José echa sus brazos alrededor de sus hermanos, y los abraza y besa a todos. Cuando Faraón oye que los hermanos de José han venido, le dice a José: 'Que se lleven carretas y consigan a su padre y sus familias y vuelvan acá. Les daré la mejor tierra de todo Egipto.'

Eso fue lo que hicieron. Aquí puedes ver a José saludando a su padre cuando él vino a Egipto con toda su familia.

La familia de Jacob se había hecho muy grande. Juntos eran 70 cuando se mudaron a Egipto, contando a Jacob y sus hijos y nietos. Pero también estaban allí las esposas, y quizás muchos siervos además. Todos estos empezaron a vivir en Egipto. Se les llamó israelitas, porque Dios había cambiado el nombre de Jacob a Israel. Llegaron a ser un pueblo muy especial para Dios, como veremos después.

Génesis 45:1-28; 46:1-27.

¿**N**O TE da lástima ese enfermo? Se llama Job, y la mujer es su esposa. ¿Sabes qué le está diciendo a Job? 'Maldice a Dios y muere.' Veamos por qué ella diría una cosa como ésa, y a qué razón se debió que Job sufriera tanto.

Job era un hombre fiel que obedecía a Jehová. El vivía en la tierra de Uz, no lejos de Canaán. Jehová amaba muchísimo a Job, pero había alguien que lo odiaba. ¿Sabes tú quién era ese que lo odiaba?

Era Satanás el Diablo. Recuerda, Satanás es el ángel malo que odia a Jehová. El pudo hacer que Adán y Eva desobedecieran a Jehová, y pensaba que podía hacer que toda otra persona le desobedeciera también. Pero ¿pudo hacer eso? No. Solo piensa en los muchos hombres y mujeres fieles de que hemos aprendido. ¿Cuántos puedes nombrar?

Después que Jacob y José murieron en Egipto, Job fue la persona más fiel a Jehová en toda la Tierra. Jehová quería hacerle saber a Satanás que él no podía hacer que toda persona fuera mala, y le dijo: 'Mira a Job. Ve lo fiel que me es.'

'El es fiel,' alegó Satanás, 'porque tú lo bendices y tiene muchas cosas buenas. Pero si se las quitas, te maldecirá.'

Por eso Jehová dijo: 'Ve. Quítaselas. Haz todas las cosas malas que quieras a Job. Veremos si me maldice. Pero cuidado que no vayas a matarlo.'

Primero, Satanás hizo que unos hombres robaran el ganado y los camellos de Job, y sus ovejas fueron muertas. Y mató a sus 10 hijos e hijas en una tormenta. Después, dio a Job esta mala enfermedad. Job sufrió muchísimo. Por eso su esposa le dijo: 'Maldice a Dios y muere.' Pero Job no quiso. También, tres amigos falsos vinieron y le dijeron que él había vivido una vida mala. Pero Job siguió fiel.

Esto hizo muy feliz a Jehová, y después él bendijo a Job, como puedes ver en el cuadro. Lo sanó de su enfermedad. Job tuvo otros 10 hijos hermosos, y el doble del ganado, las ovejas y los camellos que había tenido antes.

¿Serás tú siempre fiel a Jehová como Job? Si lo eres, Dios te bendecirá también. Podrás vivir para siempre cuando la Tierra entera sea hecha tan bonita como el jardín de Edén.

Job 1:1-22; 2:1-13; 42:10-17.

UN REY MALO MANDA EN EGIPTO

LOS hombres que ves aquí están obligando a la gente a trabajar. ¡Mira al que está golpeando a un trabajador con un látigo! Los trabajadores son de la familia de Jacob, y se les llama israelitas. Y los que los obligan a trabajar son egipcios. Los israelitas han llegado a ser sus esclavos. ¿Cómo pasó esto?

Por muchos años la gran familia de Jacob vivió en paz en Egipto. José, que era el hombre más importante de Egipto después de Faraón el rey, los cuidaba. Pero entonces José murió. Y un nuevo Faraón, a quien no le gustaban los israelitas, llegó a ser rey en Egipto.

De modo que este Faraón malo esclavizó a los israelitas. Y puso a cargo de ellos a hombres que eran viles y crueles. Estos obligaron a los israelitas a trabajar duro haciendo ciudades para Faraón. Pero los israelitas seguían haciéndose muchos. Después de un tiempo los egipcios temieron que los israelitas llegaran a ser demasiados y se hicieran muy fuertes.

¿Sabes lo que hizo Faraón? Habló a las mujeres que ayudaban a las madres israelitas cuando ellas daban a luz, y dijo: 'Tienen que matar a todo varoncito que nazca.' Pero estas mujeres eran buenas, y no mataban a los nenes.

Por eso Faraón dio este mandato a todo su pueblo: 'A todos los varoncitos israelitas, mátenlos. Dejen vivir solo a las niñitas.' ¿No era terrible que se mandara eso? Veamos cómo se salvó a un varoncito.

Exodo 1:6-22.

SE SALVA AL BEBÉ MOISÉS

MIRA al bebé que llora mientras aprieta el dedo de esa joven. Este es Moisés. ¿Sabes quién es la bella joven? Es una princesa egipcia, la propia hija de Faraón.

La madre de Moisés escondió al bebé hasta que él tuvo tres meses de edad, pues no quería que los egipcios lo mataran. Pero ella sabía que podían hallar a Moisés, y, por eso, esto fue lo que hizo para salvarlo.

Preparó una canasta de manera que no fuera a entrar agua en ella. Entonces puso a Moisés allí y colocó la canasta en la hierba alta al lado del río Nilo. Le dijo a Míriam, la hermana de Moisés, que se quedara cerca para ver qué pasaba.

Pronto la hija de Faraón vino al río Nilo a bañarse. De repente vio la canasta en la hierba alta. Dijo a una de sus sirvientas: 'Consígueme esa canasta.' Cuando la princesa abrió la canasta, ¡qué lindo bebé vio! El bebé Moisés estaba llorando, y la princesa le tuvo lástima. La princesa egipcia no quiso que mataran al nene.

Entonces Míriam vino. La puedes ver en la lámina. Míriam le preguntó a la hija de Faraón: '¿Puedo ir y llamar a una israelita para que te críe el bebé?'

'Hazme ese favor,' dijo la princesa.

Así que Míriam fue corriendo a decírselo a su mamá. Cuando la madre de Moisés vino a donde la princesa, ésta le dijo: 'Toma a este bebé y críamelo, y te pagaré por ello.'

Así que la madre de Moisés cuidó a su propio hijo. Después, cuando Moisés ya tenía suficiente edad, se lo llevó a la hija de Faraón, quien lo adoptó como hijo suyo. Por eso Moisés creció en la casa de Faraón.

Éxodo 2:1-10.

MIRA a Moisés; está huyendo de Egipto. ¿Puedes ver a los que lo persiguen? ¿Sabes por qué quieren matar a Moisés? Vamos a ver si podemos averiguarlo.

Moisés creció en la casa de Faraón, el gobernante de Egipto. Se hizo muy sabio y grande. Moisés sabía que él no era egipcio, y que sus verdaderos padres eran esclavos israelitas.

Un día, cuando tenía 40 años, Moisés decidió ir a ver cómo le iba a su pueblo. Los estaban tratando mal. Vio a un egipcio golpeando a un esclavo israelita. Moisés miró alrededor y, al no ver a ninguna persona que estuviera velando, hirió al egipcio, y éste murió. Moisés escondió al muerto en la arena.

Al día siguiente Moisés fue a ver a su pueblo otra vez. Creía que podría ayudarlos para que no fueran esclavos. Pero vio a dos israelitas peleando, y Moisés le dijo al que estaba haciendo lo que era malo: '¿Por qué golpeas a tu hermano?'

El hombre dijo: '¿Quién te hizo nuestro gobernante y juez? ¿Me vas a matar como mataste a aquel egipcio?'

Ahora Moisés se asustó. Sabía que la gente había averiguado lo que él le había hecho al egipcio. Aun Faraón lo oyó y mandó hombres a matar a Moisés. Por eso Moisés tuvo que salir huyendo de Egipto.

Cuando Moisés salió de Egipto, se fue lejos, a la tierra de Madián. Allí conoció a la familia de Jetro, y se casó con una de sus hijas, Zípora. Moisés se hizo pastor y atendió las ovejas de Jetro. Por 40 años vivió en la tierra de Madián. Ahora tenía 80 años de edad. Entonces un día, mientras Moisés atendía las ovejas de Jetro, pasó una cosa sorprendente que cambió la vida entera de Moisés. Pasa la página, y vamos a ver qué es esta cosa sorprendente.   Éxodo 2:11-25; Hechos 7:22-29.

MOISES había venido hasta la montaña de Horeb buscando hierba para sus ovejas. Aquí vio un arbusto en fuego, ¡pero el arbusto no se quemaba!

'¡Qué raro!' pensó Moisés. 'Voy a ver eso mejor.' Cuando se acercó, desde el arbusto una voz dijo: 'No te acerques más. Quítate las sandalias, pues estás en tierra santa.' Era Dios hablando por medio de un ángel, y por eso Moisés se cubrió la cara.

Dios entonces dijo: 'He visto a mi pueblo sufrir en Egipto. Voy a librarlos, y te envío para que los saques de allí.' Jehová iba a llevar a su pueblo al lindo país de Canaán.

Pero Moisés dijo: 'Yo no soy nadie. ¿Cómo puedo hacer esto? Y si voy me van a decir: "¿Quién te envió?" ¿Qué digo entonces?'

'Esto les dirás,' contestó Dios. ' "JEHOVA el Dios de Abrahán, Dios de Isaac y Dios de Jacob me ha enviado a ustedes." ' A eso, Jehová añadió: 'Este es mi nombre para siempre.'

'Pero ¿y si ellos no me creen cuando yo les diga que tú me enviaste?' respondió Moisés.

'¿Qué tienes en la mano?' le preguntó Dios.

Moisés contestó: 'Un palo.'

'Echalo en el suelo,' dijo Dios. Cuando Moisés hizo aquello, el palo que tenía se convirtió en una culebra. Entonces, Jehová le mostró a Moisés otro milagro. Dijo: 'Mete tu mano en tu traje.' Moisés lo hizo, y cuando sacó la mano, ¡estaba blanca como la nieve! Parecía que él estaba enfermo, con la lepra. Entonces Jehová le dio a Moisés poder para hacer un tercer milagro. Finalmente dijo: 'Estos milagros harán que los israelitas crean que te envié.'

Después, Moisés volvió a su casa y le dijo a Jetro: 'Por favor, déjame volver a Egipto para ver cómo están mis parientes.' Así que Jetro le dijo adiós a Moisés, que empezó su viaje de regreso a Egipto. Exodo 3:1-22; 4:1-20.

CUANDO Moisés volvió a Egipto, le contó a su hermano Aarón acerca de los milagros. Y cuando Moisés y Aarón les mostraron los milagros a los israelitas, todos creyeron que Jehová estaba con ellos.

Entonces Moisés y Aarón fueron a ver a Faraón. Le dijeron: 'Jehová el Dios de Israel dice: "Deja ir a mi pueblo por tres días, para que me adoren en el desierto."' Pero Faraón dijo: 'Yo no creo en Jehová. No voy a dejar ir a Israel.'

Faraón estaba enojado, porque el pueblo quería sacar tiempo del trabajo para adorar a Jehová. Por eso, los obligó a trabajar más duro. Los israelitas culparon a Moisés por el mal trato que se les dio, y Moisés se puso triste. Pero Jehová le dijo que no se preocupara. 'Haré que Faraón deje ir a mi pueblo,' dijo.

Moisés y Aarón fueron a ver a Faraón otra vez. Esta vez hicieron un milagro. Aarón echó al suelo su palo, y éste se convirtió en una culebra grande. Pero los sabios de Faraón también echaron al suelo sus palos, y aparecieron culebras. Pero ¡mira! la culebra de Aarón se está comiendo la de los sabios. Todavía Faraón no quiso dejar ir a los israelitas.

Por eso llegó el tiempo para que Jehová le diera una lección a Faraón. ¿Sabes cómo lo hizo? Haciendo que le vinieran 10 plagas, o grandes dificultades, a Egipto.

Después de muchas de las plagas, Faraón llamaba a Moisés y le decía: 'Detén la plaga y dejaré ir a Israel.' Pero cuando la plaga se detenía, cambiaba de opinión. No los dejaba ir. Pero después de la décima plaga les dijo que salieran.

¿Conoces cada una de las 10 plagas? Pasa la página y veamos cuáles son. Exodo 4:27-31; 5:1-23; 6:1-13, 26-30; 7:1-13.

MIRA los cuadros. Cada uno muestra una plaga que Jehová le puso a Egipto. En el primero ves a Aarón golpeando el río Nilo con su palo. Entonces el agua del río se convirtió en sangre, y los peces del río murieron, y ahora el río empezó a tener mal olor.

Después, Jehová hizo que salieran ranas del río Nilo. Estaban en los hornos, las vasijas de amasar, las camas, por dondequiera. Cuando las ranas murieron, los egipcios las pusieron en montones, y el país se llenó de mal olor.

Entonces Aarón golpeó el suelo con su palo y el polvo se convirtió en jejenes, insectitos que vuelan y pican. Esta fue la tercera plaga.

Las otras plagas solo hicieron daño a los egipcios, no a Israel. La cuarta fue de moscas grandes que se metieron en las casas de todos los egipcios. La quinta plaga hirió a los animales. Muchísimas de las vacas y las ovejas y las cabras de los egipcios murieron.

Después Moisés y Aarón tiraron al aire puñados de cenizas, las cuales

les causaron llagas a las personas y los animales. Esta fue la sexta plaga.

Después de eso Moisés levantó la mano al cielo, y Jehová mandó truenos y granizo. Fue la peor granizada que Egipto había tenido.

La plaga octava fue un gran enjambre de langostas. Nunca antes hubo, ni después de eso ha habido, tantas langostas. Se comieron todo lo que el granizo no destruyó.

La plaga novena fue de oscuridad. Por tres días una oscuridad densa cubrió el país, pero los israelitas tenían luz donde vivían.

Finalmente, Dios le dijo a su pueblo que rociara la sangre de un cabrito o un corderito en los postes de sus puertas. Entonces el ángel de Dios pasó sobre Egipto. Cuando el ángel veía la sangre, no mataba a nadie en aquella casa. Pero cuando no veía la sangre, mataba al primer hijo nacido, de hombre y de animal. Esta fue la plaga décima.

Después de esta plaga, Faraón dejó ir a los israelitas, los cuales ya estaban listos y aquella misma noche empezaron a marcharse de Egipto.

Exodo, capítulos 7 a 12.

¡**M**IRA lo que está pasando! Ese es Moisés con su palo extendido sobre el mar Rojo. Los que están con él seguros en el otro lado son los israelitas. Pero Faraón y su ejército se están ahogando. Veamos cómo pasó esto.

Como aprendimos, después de la décima plaga Faraón les dijo a los israelitas que salieran de Egipto. Unos 600.000 hombres israelitas salieron, así como muchas mujeres y niños. Además, mucha otra gente que había creído en Jehová salió con los israelitas. Todos llevaron consigo sus ovejas y cabras y ganado al salir de Egipto.

Antes de salir, los israelitas pidieron ropa y cosas hechas de oro y plata a los egipcios. Los egipcios tenían mucho miedo, por la última plaga que les vino. Así que les dieron a los israelitas todo lo que pidieron.

Unos días después los israelitas llegaron al mar Rojo. Allí descansaron. Mientras tanto, Faraón y sus hombres empezaron a arrepentirse de haber dejado ir a los israelitas. '¡Dejamos ir a nuestros esclavos!' decían.

Así que Faraón cambió de opinión otra vez. Enseguida preparó su carro de guerra y su ejército. Entonces empezó a ir tras de los israelitas con 600 carros especiales, así como con todos los otros carros de Egipto.

Cuando los israelitas vieron venir a Faraón y su ejército, se asustaron muchísimo. No tenían ninguna manera de huir. Tenían el mar Rojo a un lado, y los egipcios venían de la otra dirección. Pero Jehová puso una nube entre su pueblo y los egipcios. Por eso los egipcios no podían ver a los israelitas para atacarlos.

Jehová ahora le dijo a Moisés que extendiera su palo sobre el mar Rojo. Cuando Moisés hizo esto, Jehová hizo que un viento fuerte del este soplara. Las aguas del mar se dividieron, y se quedaron aguantadas en los dos lados.

Entonces los israelitas empezaron a marchar por en medio del mar sobre tierra seca. Se necesitaron horas para que aquellos millones de personas con todos sus animales pasaran al otro lado. Finalmente los egipcios pudieron verlos otra vez, y se metieron en el mar tras ellos.

Cuando hicieron esto, Dios hizo que se les cayeran las ruedas de sus carros. Los egipcios se asustaron mucho y empezaron a gritar: 'Jehová pelea por los israelitas contra nosotros. ¡Vámonos de aquí!' Pero era muy tarde.

Entonces Jehová le dijo a Moisés que extendiera su palo sobre el mar Rojo, como viste en el cuadro. Entonces las paredes de agua empezaron a volver y a cubrir a los egipcios y sus carros. El ejército entero se había metido en el mar. ¡Y ni un solo egipcio salió vivo!

¡Cuánto se alegró el pueblo de Dios por estar a salvo! Los hombres cantaron una canción de gracias a Jehová, diciendo: 'Jehová ha ganado una victoria gloriosa. Ha echado a los caballos y sus jinetes en el mar.' Míriam, la hermana de Moisés, sacó su pandereta, y todas las mujeres la siguieron con las suyas. Y bailaron, cantando también: 'Jehová ha ganado una victoria gloriosa. Ha echado a los caballos y sus jinetes en el mar.'

Exodo, capítulos 12 a 15.

Liberación en Egipto a primer rey de Israel

Moisés llevó a los israelitas desde el cautiverio en Egipto hasta el monte Sinaí, donde Dios les dio Sus leyes. Después, Moisés envió 12 hombres a espiar la tierra de Canaán. Pero 10 regresaron a él con un informe malo. Hicieron que la gente quisiera volver a Egipto. Por su falta de fe, Dios castigó a los israelitas haciéndoles vagar por 40 años en el desierto.

Finalmente, Josué fue escogido para poner a los israelitas en la tierra de Canaán. Para ayudarles a apoderarse del país, Jehová hizo milagros. Hizo que el río Jordán dejara de fluir, que los muros de Jericó se cayeran y que el Sol se quedara quieto un día entero. Después de seis años, la tierra les había sido quitada a los cananeos.

Empezando con Josué, Israel fue gobernado por jueces por 356 años. Aprendemos acerca de muchos de ellos, como Barac, Gedeón, Jefté, Sansón y Samuel. También leemos de mujeres como Rahab, Débora, Jael, Rut, Noemí y Dalila. En total, la Parte TRES cubre 396 años de historia.

¿**S**ABES qué está recogiendo del suelo la gente? Parece escarcha. Es blanco, delgado y como hojas pequeñas. Pero no es escarcha; es algo que se puede comer.

Solo ha pasado más o menos un mes desde que los israelitas salieron de Egipto. Están en el desierto. Allí crece poco alimento, y ellos se quejan: 'Mejor que Jehová nos hubiera matado en Egipto. Allí comíamos cuanto queríamos.'

Por eso Jehová dice: 'Voy a hacer que llueva alimento desde el cielo.' Y eso es lo que hace. A la mañana siguiente, cuando los israelitas ven esta cosa blanca que ha caído, se preguntan: '¿Qué es?'

Moisés dice: 'Este es el alimento que Jehová les ha dado para que lo coman.' La gente lo llama MANA. El maná sabe a tortas delgadas hechas con miel.

'Recojan lo que cada persona pueda comer,' dice Moisés a la gente. Por eso, cada mañana hacen eso. Entonces, cuando el Sol calienta, el maná que queda en el suelo se derrite.

Moisés también dice: 'Nadie guarde maná hasta el día siguiente.' Pero algunos lo hacen. ¿Sabes lo que pasa entonces? ¡La mañana siguiente el maná que han guardado está lleno de gusanos y empieza a oler mal!

Pero Jehová dice que un día de la semana recojan doble cantidad de maná. Ese es el sexto día. Y Jehová dice que guarden alguno hasta el día siguiente, pues no va a hacer que caiga ninguno el día séptimo. ¡Cuando guardan el maná hasta el día séptimo, no se llena de gusanos ni tiene mal olor! ¡Es otro milagro!

Durante todos los años de los israelitas en el desierto, comen maná.

Exodo 16:1-36; Números 11:7-9; Josué 5:10-12.

JEHOVÁ DA SUS LEYES

UNOS dos meses después de haber salido de Egipto, los israelitas llegan al monte Sinaí, también llamado Horeb. Aquí fue donde Dios habló a Moisés desde el arbusto ardiente. El pueblo acampa aquí; se queda aquí algún tiempo.

Mientras la gente espera abajo, Moisés sube a la montaña. Allá, Jehová le dice a Moisés que El quiere que los israelitas le obedezcan y lleguen a ser Su pueblo especial. Cuando Moisés baja, les dice a los israelitas lo que Jehová ha dicho. Y la gente dice que va a obedecer a Jehová, porque quieren ser su pueblo.

Jehová ahora hace una cosa rara. Hace que de la cumbre suba humo, y hace que haya truenos fuertes. También habla al pueblo y les dice: 'Yo soy Jehová tu Dios que te sacó de Egipto.' Entonces les da este mandato: 'No debes adorar más dioses que a mí.'

Dios da a los israelitas otros nueve mandamientos, o leyes. El pueblo tiene mucho miedo. Le dicen a Moisés: 'Háblanos tú, porque tememos que si Dios nos habla moriremos.'

Más tarde, Jehová le dice a Moisés: 'Sube acá arriba a la montaña. Yo te voy a dar dos piedras planas en las cuales he escrito las leyes que yo quiero que el pueblo guarde. De manera que Moisés sube una vez más a la montaña. Por 40 días y noches se queda allá.

Dios tiene muchas, muchas leyes para su pueblo. Moisés las escribe. Dios también le da a Moisés las dos piedras planas. En éstas, Dios mismo ha escrito las 10 leyes que ha hablado a todo el pueblo. Se llaman los Diez Mandamientos.

Los Diez Mandamientos son leyes importantes. Pero también lo son las muchas otras leyes que Dios da a los israelitas. Una de éstas es: 'Debes amar a Jehová tu Dios con todo tu corazón, toda tu mente, toda tu alma y toda tu fuerza.' Y otra es: 'Debes amar a tu prójimo como a ti mismo.' El Hijo de Dios, Jesucristo, dijo que éstas son las dos mayores leyes que Dios dio a su pueblo de Israel. Después aprenderemos muchas cosas acerca del Hijo de Dios y sus enseñanzas.

Exodo 19:1-25; 20:1-21; 24:12-18; 31:18; Deuteronomio 6:4-6; Levítico 19:18; Mateo 22:36-40.

EL BECERRO DE ORO

¡AY, NO! ¿Qué está haciendo la gente ahora? ¡Orando a un becerro! ¿Por qué están haciendo esto?

Cuando Moisés se queda mucho tiempo en la montaña, el pueblo dice: 'No sabemos qué le ha pasado a Moisés. Vamos a hacernos un dios que nos saque de esta tierra.'

'Está bien,' dice Aarón el hermano de Moisés. 'Quítense sus pendientes de oro, y tráiganmelos.' Cuando el pueblo hace esto, Aarón los derrite y hace un becerro de oro. Y el pueblo dice:

'¡Este es nuestro Dios, que nos sacó de Egipto!' Entonces tienen una fiesta grande, y adoran el becerro de oro.

Cuando Jehová ve esto, se enoja mucho. Y le dice a Moisés: 'Apresúrate y baja. El pueblo se está portando muy mal. Han olvidado mis leyes y se inclinan ante un becerro de oro.'

Moisés baja enseguida de la montaña. Y al acercarse, esto es lo que ve. ¡La gente está cantando y bailando alrededor del becerro! Moisés se enoja tanto que tira las dos piedras planas que tienen las leyes, y éstas se rompen en pedazos. Entonces le echa mano al becerro y lo derrite. Entonces lo hace polvo.

El pueblo ha hecho algo muy malo. Por eso Moisés les dice a unos hombres que empuñen sus espadas. 'Los malos que adoraron el becerro deben morir,' dice. ¡Por eso los hombres matan a 3.000 personas! ¿No muestra esto que hay que tener cuidado para adorar solo a Jehová y no a dioses falsos? Exodo 32:1-35.

¿**S**ABES qué es este edificio? Es una tienda especial para adorar a Jehová. Se le llama el tabernáculo. El pueblo lo terminó en un solo año después que salió de Egipto. ¿Sabes de quién fue la idea de hacerlo?

Fue idea de Jehová. Mientras Moisés estaba arriba en el monte Sinaí, Jehová le dijo cómo hacerlo. Le dijo que lo hiciera de modo que pudiera desmontarse fácilmente. Así las partes se podrían llevar a otro lugar, y allí juntarse de nuevo. Por eso, cuando los israelitas se mudaban de un lugar a otro en el desierto, llevaban consigo la tienda.

Si te fijas en el cuartito al fin de la tienda, puedes ver una caja. Esta caja se llama el arca del pacto. Tenía dos ángeles o querubines hechos de oro, uno a cada extremo. Dios escribió de nuevo los Diez Mandamientos en dos piedras planas, porque Moisés había roto las primeras. Y estas piedras fueron guardadas en el arca del pacto. También se guardó allí un jarro de maná. ¿Recuerdas lo que es maná?

Jehová escoge a Aarón el hermano de Moisés para que sea el sumo sacerdote. El dirige el pueblo en la adoración de Jehová. Y sus hijos también son sacerdotes.

Ahora fíjate en el cuarto más grande de la tienda. Tiene el doble del tamaño del cuartito. ¿Ves la cajita de la cual está subiendo humo? Ese es el altar donde los sacerdotes queman incienso, una cosa que huele bien. Mira también el candelabro que tiene siete lámparas. Y lo tercero en el cuarto es una mesa, sobre ésta se mantienen 12 panes.

En el patio del tabernáculo hay una fuente grande, o palangana, llena de agua. Los sacerdotes la usan para lavar. También está allí el gran altar. Aquí se queman los animales muertos como ofrenda a Jehová. La tienda está en el medio del campamento, y los israelitas viven en sus tiendas alrededor de ella.

Exodo 25:8-40; 26:1-37; 27:1-8; 28:1; 30:1-10, 17-21; 34:1, 2; Hebreos 9:1-5.

LOS 12 ESPÍAS

MIRA las frutas que estos hombres cargan. Fíjate qué grande es el ramo de uvas. Dos hombres tienen que cargarlo en un palo. Y mira los higos y las granadas. ¿De dónde vinieron estos bellos frutos? De la tierra de Canaán. Recuerda, Canaán es donde vivían Abrahán, Isaac y Jacob. Pero por el hambre que hubo allí, Jacob se mudó con su familia a Egipto. Ahora, tras unos 216 años, Moisés lleva de vuelta a Canaán a los israelitas. Ahora están en Cades, en el desierto.

En Canaán vive gente mala. Por eso Moisés envía 12 espías y les dice: 'Averigüen cuánta gente vive allí, y cuán fuertes son. Averigüen si la tierra es buena para sembrar. Y no dejen de traer algunos de los frutos.'

Cuando los espías vuelven a Cades, le dicen a Moisés: 'En verdad es un buen país.' Y para probarlo, le muestran algunas frutas. Pero 10 de los espías dicen: 'La gente que vive allí son gente grande y fuerte. Si tratamos de quitarles el país, nos matan.'

Los israelitas se asustan al oír esto. 'Mejor hubiera sido morir en Egipto o hasta aquí en el desierto,' dicen. 'Moriremos en batalla, y nuestras esposas y nuestros hijos serán capturados. ¡Vamos a escoger un nuevo líder en vez de Moisés, y regresar a Egipto!'

Pero dos de los espías confían en Jehová, y tratan de calmar al pueblo. Se llaman Josué y Caleb. Dicen: 'No tengan miedo. Jehová está con nosotros. Será fácil tomar esa tierra.' Pero el pueblo no oye. Y hasta quiere matar a Josué y Caleb.

Esto enoja mucho a Jehová, quien le dice a Moisés: 'Ninguna de la gente de 20 años de edad y más va a entrar en el país de Canaán. Han visto los milagros que yo hice en Egipto y en el desierto, pero todavía no confían en mí. Por eso van a vagar por el desierto 40 años hasta que el último muera. Solo Josué y Caleb entrarán en la tierra de Canaán.' Números 13:1-33; 14:1-38.

MIRA las flores y almendras maduras que crecen de esta vara, o palo. Es la vara de Aarón. ¡Estas flores y la fruta madura crecieron en una sola noche! Veamos por qué.

Los israelitas han vagado por el desierto por bastante tiempo. Algunos no creen que Moisés deba ser el líder, ni que Aarón deba ser el sumo sacerdote. Coré es uno que piensa así, y lo mismo Datán, Abiram y 250 líderes del pueblo. Todos éstos vienen y le dicen a Moisés: '¿Por qué te pones tú por encima de los demás de nosotros?'

Moisés dice a Coré y sus seguidores: 'Mañana por la mañana tomen incensarios y pongan incienso en ellos. Entonces vengan al tabernáculo de Jehová. Veremos a quién escoge él.'

El día siguiente Coré y sus 250 seguidores vienen al tabernáculo. Muchos otros vienen para apoyarlos. Jehová está muy enojado. 'Aléjense de las tiendas de estos hombres malos,' dice Moisés. 'No toquen nada que les pertenezca.' La gente escucha, y se aleja de las tiendas de Coré, Datán y Abiram.

Entonces Moisés dice: 'Por esto sabrán a quién Jehová escoge. La tierra se abrirá y se tragará a estos hombres malos.'

Tan pronto como Moisés deja de hablar, la tierra se abre. La tienda y las cosas de Coré, y Datán y Abiram y los que están con ellos caen adentro, y la tierra se cierra sobre ellos. Cuando la gente oye los gritos de los que se hunden, gritan: '¡Corran! ¡La tierra nos puede tragar también!'

Coré y sus 250 seguidores todavía están cerca del tabernáculo. Por eso Jehová envía fuego, y todos se queman. Entonces Jehová le dice a Eleazar hijo de Aarón que tome los incensarios de los muertos y haga con ellos una cubierta delgada para el altar. Esta cubierta del altar sirve para advertir a los israelitas que solo Aarón y sus hijos deben servir de sacerdotes para Jehová.

Pero Jehová quiere aclarar bien que ha escogido a Aarón y sus hijos como sacerdotes. Por eso le dice a Moisés: 'Que un líder de cada tribu de Israel traiga su vara. Para la tribu de Leví, que Aarón traiga su vara. Entonces pon cada vara en el tabernáculo enfrente del arca del pacto. La vara del hombre que yo he escogido como sacerdote echará flores.'

Cuando Moisés mira la mañana siguiente, ¡de la vara de Aarón salen estas flores y almendras maduras! ¿Ves tú ahora por qué hizo Jehová que la vara de Aarón floreciera?

Números 16:1-49; 17:1-11; 26:10.

MOISÉS HIERE LA ROCA

PASAN los años… ¡10 años, 20 años, 30 años, 39 años! Y los israelitas todavía están en el desierto. Pero en todos estos años Jehová cuida a su pueblo. Los alimenta con maná. Los guía de día con una columna de nube, y de noche con una columna de fuego. Y no se les gasta la ropa ni se les irritan los pies.

Este es el primer mes del año 40 desde que salieron de Egipto. Los israelitas están otra vez en Cades. Aquí estaban cuando los 12 espías fueron enviados a espiar la tierra de Canaán casi 40 años antes. Míriam la hermana de Moisés muere en Cades. Y como antes, hay problemas aquí.

La gente no puede hallar agua. Se quejan a Moisés: 'Mejor hubiera sido que hubiéramos muerto. ¿Por qué nos sacaste de Egipto para traernos a este terrible lugar donde nada crece? Aquí no hay granos, ni higos, ni uvas, ni granadas. No hay ni siquiera agua para beber.'

Cuando Moisés y Aarón van al tabernáculo a orar, Jehová le dice a Moisés: 'Junta al pueblo. Entonces, enfrente de todos habla a esa roca que está allí. De ella saldrá suficiente agua para el pueblo y todos sus animales.'

Así que Moisés junta a la gente, y dice: '¡Oigan, gente que no confía en Dios! ¿Tenemos que sacarles agua de esta roca Aarón y yo?' Entonces, Moisés hiere la roca dos veces con un palo, y una gran corriente de agua sale de ella. Hay agua para toda la gente y todos los animales que se hallan allí.

Pero Jehová se enoja con Moisés y Aarón. ¿Sabes por qué? Porque Moisés y Aarón dijeron que *ellos* iban a sacar agua de la roca. Pero en realidad Jehová lo hacía. Y porque Moisés y Aarón no dijeron la verdad acerca de esto, Jehová dice que los va a castigar. 'No van a hacer que mi pueblo entre en Canaán,' dice Jehová Dios.

Pronto los israelitas salen de Cades. Poco tiempo después llegan al monte Hor. Allí, encima de la montaña, Aarón muere. Tiene 123 años cuando muere. Los israelitas están muy tristes, y por 30 días lloran por Aarón. Eleazar el hijo de Aarón llega a ser entonces el siguiente sumo sacerdote para la nación de Israel.

Números 20:1-13, 22-29; Deuteronomio 29:5.

¿**P**ARECE real esa culebra envuelta alrededor del palo? No lo es. Está hecha de cobre. Jehová le dijo a Moisés que la levantara en el palo para que la gente pudiera mirarla y seguir viviendo. Pero las otras culebras, en el suelo, son reales. Mordieron a la gente y la enfermaron. ¿Sabes por qué?

Es porque los israelitas han hablado contra Dios y Moisés. Se quejan: '¿Por qué nos sacaste de Egipto para morir en este desierto? No hay alimento ni agua aquí. Y ya no aguantamos el seguir comiendo este maná.'

Pero el maná es buen alimento. Jehová se los ha dado por un milagro. Y por un milagro les ha dado agua. Pero la gente no agradece el cuidado que Dios les ha dado. Por eso Jehová envía estas culebras venenosas como castigo para los israelitas. Las culebras los muerden, y muchos de ellos mueren.

Por fin la gente viene a Moisés y dice: 'Hemos pecado, porque hemos hablado contra Jehová y contra ti. Ora tú a Jehová ahora para que quite estas culebras.'

Así que Moisés ora por ellos. Y Jehová le dice a Moisés que haga esta culebra de cobre. Le dice que la ponga en un palo, y que todo el que sea mordido debe mirar a ella. Moisés hace tal como Dios dice. Y los que habían sido mordidos miran a la culebra de cobre y vuelven a estar bien.

De esto podemos aprender una lección. Todos somos como los israelitas mordidos por las culebras. Nota que toda la gente se pone vieja, enferma y se muere. Esto se debe a que el primer hombre y la primera mujer, Adán y Eva, se apartaron de Jehová, y todos nosotros somos hijos de ellos. Pero Jehová abre un camino para que vivamos para siempre.

Jehová envió a la Tierra a su Hijo, Jesucristo. Jesús fue colgado en un madero, porque muchos pensaban que él era malo. Pero Jehová dio a Jesús para salvarnos. Si miramos hacia él, si lo seguimos, podemos tener vida eterna. Pero después aprenderemos más de esto.

Números 21:4-9; Juan 3:14, 15.

UN ASNA HABLA

¿**H**AS oído alguna vez de un asno que hable? 'No,' dirás. 'Los animales no hablan.' Pero la Biblia dice que un asna habló. Vamos a ver cómo pasó eso.

Los israelitas están casi listos para entrar en la tierra de Canaán. Balac, el rey de Moab, teme a los israelitas. Por eso, manda a buscar a un hombre listo llamado Balaam para que venga y maldiga a los israelitas. Le promete mucho dinero, así que Balaam sube sobre su asna y sale a ver a Balac.

Jehová no quiere que Balaam maldiga a Su pueblo. Por eso, envía a un ángel con una espada larga para que se pare en el camino y detenga a Balaam. Balaam no puede ver al ángel, pero su asna lo ve. El asna sigue tratando de alejarse del ángel, y finalmente se acuesta en el camino. Balaam se enoja mucho, y la golpea con un palo.

Entonces Jehová hace que Balaam oiga que el

asna le habla. '¿Qué te he hecho para que me des golpes?' le pregunta el asna.

'Has hecho que yo parezca un tonto,' le dice Balaam. '¡Si tuviera una espada, te mataría!'

'¿Te he tratado así antes?' pregunta el asna.

'No,' contesta Balaam.

Entonces Jehová deja que Balaam vea al ángel con la espada parado en el camino. El ángel dice: '¿Por qué has golpeado a tu asna? He venido a cerrarte el camino, porque no debes ir a maldecir a Israel. Si tu asna no te hubiera apartado de mí, yo te hubiera matado, pero no hubiera hecho daño a tu asna.'

Balaam dice: 'He pecado. No sabía que estabas en el camino.' El ángel deja ir a Balaam, y Balaam sigue para ver a Balac. Todavía trata de maldecir a Israel, pero Jehová le hace bendecir a Israel tres veces.

Números 21:21-35; 22:1-40; 23:1-30; 24:1-25.

MOISES quiere entrar en Canaán con los israelitas. Por eso dice: 'Jehová, déjame cruzar el río Jordán, para ver la buena tierra.' Pero Jehová dice: '¡Basta! ¡No vuelvas a decir eso!' ¿Sabes por qué le dijo eso Jehová?

Es por lo que pasó cuando Moisés

golpeó la roca. Recuerda: él y Aarón no honraron a Jehová. No le dijeron al pueblo que era Jehová quien estaba sacando el agua de la roca. Por eso Jehová dijo que no les dejaría entrar en Canaán.

Así que, pocos meses después de la muerte de Aarón, Jehová le dice a Moisés: 'Toma a Josué, y ponlo enfrente de Eleazar el sacerdote y el pueblo. Y allí, delante de todos, di a todos que Josué es el nuevo líder.' Moisés hace tal como Jehová dice, como puedes ver en el cuadro.

Entonces Jehová le dice a Josué: 'Sé fuerte, y no temas. Guiarás a los israelitas y los pondrás en la tierra de Canaán que les he prometido, y yo estaré contigo.'

Después Jehová le dice a Moisés que suba bien arriba en el monte Nebo en la tierra de Moab. Desde allí Moisés puede mirar hasta más allá del río Jordán y ver la hermosa tierra de Canaán. Jehová dice: 'Esta es la tierra que prometí dar a los hijos de Abrahán, Isaac y Jacob. He dejado que la veas, pero

no te dejaré entrar en ella.'

Allí, sobre el monte Nebo, Moisés muere. El tenía 120 años. Era fuerte todavía y tenía buena vista todavía. El pueblo siente una gran tristeza y todos ellos lloran mucho a Moisés. Pero les alegra tener ahora a Josué como su nuevo líder.

Números 27:12-23;
Deuteronomio 3:23-29; 31:1-8,
14-23; 32:45-52; 34:1-12.

RAHAB OCULTA A LOS ESPÍAS

ESTOS hombres tienen un problema. Tienen que huir, para que no los maten. Son espías israelitas, y la mujer que les ayuda es Rahab. Rahab vive en una casa en el muro de la ciudad de Jericó. Veamos cómo pasó todo esto.

Los israelitas están por cruzar el río Jordán y entrar en Canaán. Pero antes de entrar ellos, Josué envía los dos espías. Les dice: 'Vean la tierra y la ciudad de Jericó.'

Cuando los espías entran en Jericó, van a la casa de Rahab. Pero alguien le dice al rey de Jericó: 'Anoche vinieron dos israelitas para espiar la tierra.' Al oír esto, el rey envía a Rahab unos hombres que le ordenan: '¡Saca a los hombres que tienes en tu casa!' Pero Rahab ha escondido a los hombres en su techo. Así que dice: 'Unos hombres vinieron a mi casa, pero no sé de dónde eran. Se fueron cuando oscurecía, antes de cerrarse la puerta de la ciudad. ¡Si corren, los alcanzan!' Y los hombres corren a buscarlos.

Cuando se van, Rahab corre al techo. 'Yo sé que Jehová les dará esta tierra,' dice a los espías. 'Oímos que él secó el mar Rojo cuando ustedes salieron de Egipto, y que ustedes mataron a los reyes Sehón y Og. Porque yo he sido buena con ustedes, prométanme, por favor, ser buenos conmigo. Salven a mi padre y madre, mis hermanos y hermanas.'

Los espías prometen que harán eso, pero Rahab tiene que hacer algo. 'Toma esta cuerda roja y átala en tu ventana,' dicen los espías, 'y junta a todos tus parientes en tu casa. Y cuando todos nosotros volvamos para tomar a Jericó y veamos esta cuerda, no mataremos a nadie en tu casa.' Cuando los espías vuelven a Josué, le dicen todo lo que ha pasado.

Josué 2:1-24; Hebreos 11:31.

CRUZANDO EL RÍO JORDÁN

¡**M**IRA! ¡Los israelitas están cruzando el río Jordán! Pero ¿dónde está el agua? Porque en aquel tiempo del año cae mucha lluvia, el río estaba muy lleno unos minutos antes. ¡Pero ahora toda el agua se ha ido! ¡Y los israelitas están cruzando sobre tierra seca tal como lo hicieron en el mar Rojo! ¿Adónde se fue toda el agua? Veamos.

Cuando llegó el tiempo para que los israelitas cruzaran el río Jordán, esto fue lo que Jehová hizo que Josué dijera al pueblo: 'Los sacerdotes deben cargar el arca del pacto e ir delante de nosotros. Cuando ellos pongan sus pies en las aguas del río Jordán, las aguas se detendrán.'

Así que los sacerdotes levantan el arca del pacto y la llevan delante de la gente. Cuando llegan al Jordán, los sacerdotes se meten en el agua. El río fluye rápidamente y está hondo. ¡Pero tan pronto como los pies de ellos lo tocan, el agua empieza a detenerse! ¡Es un milagro! Río arriba, Jehová ha cerrado el paso al agua. ¡El río queda seco!

Los sacerdotes que van cargando el arca del pacto pasan al medio del río seco. ¿Los puedes ver tú en la lámina? ¡Mientras están allí, todos los israelitas empiezan a cruzar el río Jordán sobre tierra seca!

Cuando todos han cruzado, Jehová hace que Josué diga a 12 hombres fuertes: 'Vayan al río donde los sacerdotes están con el arca del pacto. Recojan de allí 12 piedras y pónganlas donde todos pasen la noche. Así, en el futuro, cuando sus hijos pregunten qué significan estas piedras, deben decirles que las aguas dejaron de correr cuando el arca del pacto de Dios cruzó el Jordán. ¡Las piedras les recordarán este milagro!' Josué también levanta 12 piedras donde los sacerdotes han estado en el río.

Por fin Josué dice a los sacerdotes que llevan el arca del pacto: 'Suban del Jordán.' Cuando hacen esto, el río empieza a fluir otra vez.

Josué 3:1-17; 4:1-18.

¿QUE está haciendo que se caigan estos muros de Jericó? Es como si una bomba grande les hubiera caído encima. Pero en aquellos días no había bombas; ni había cañones. ¡Es otro milagro de Jehová! Veamos cómo sucedió.

Oye lo que Jehová le dice a Josué: 'Tú y tus guerreros marchen alrededor de la ciudad. Denle la vuelta una vez cada día por seis días. Lleven el arca del pacto. Siete sacerdotes deben ir delante del arca y tocar sus cuernos.

'Al séptimo día marchen alrededor de la ciudad *siete* veces. Entonces den un sonido largo con los cuernos, y den todos un gran grito de guerra. ¡Y las murallas se caerán!'

Josué y el pueblo hacen lo que Jehová dice. Mientras marchan, todos están callados. Lo único que se puede oír es el sonido de los cuernos y de los pies que marchan. Los enemigos en Jericó tienen que haber tenido miedo. ¿Puedes ver esa cuerda roja que cuelga de una ventana? ¿De quién es esa ventana? Sí, Rahab ha hecho lo que los dos espías le dijeron. Toda su familia está dentro con ella, vigilando.

Finalmente, el séptimo día, después de marchar siete veces alrededor de la ciudad, se tocan los cuernos, gritan los guerreros, y las murallas caen. Josué dice: 'Maten a la gente y quemen la ciudad con todo, menos la plata, el oro, el cobre y el hierro, que son para el tesoro del tabernáculo.'

A los dos espías, Josué dice: 'Saquen de su casa a Rahab y su familia entera.' Estos se salvan, tal como habían prometido los espías. Josué 6:1-25.

¡**M**IRA lo que este hombre está enterrando en su tienda! Un traje bonito, y una barra de oro y algunas piezas de plata. Sacó esto de Jericó. Pero ¿qué se debió haber hecho con estas cosas de Jericó? ¿Recuerdas?

Se les debió haber destruido, y se suponía que el oro y la plata se dieran al tesoro del tabernáculo de Jehová. Así que esta gente ha desobedecido a Dios. Han robado lo que es de Dios. El hombre se llama Acán, y los que están con él son parte de la familia de él. Veamos qué pasa.

Después que Acán roba estas cosas, Josué envía unos hombres a pelear contra la ciudad de Hai. Pero salen derrotados. Algunos mueren, y los demás huyen. Josué se pone muy triste. Cara al suelo, ora a Jehová y dice: '¿Por qué permites que pase esto?'

Jehová contesta: '¡Levántate! Israel ha pecado. Han tomado cosas que habían de destruirse o darse al tabernáculo de Dios. Han robado un traje bonito y no lo han dicho.

No los bendeciré hasta que destruyan el traje y al que ha tomado estas cosas.' Jehová dice que le va a mostrar a Josué quién es el hombre malo.

Así que Josué junta a todo el pueblo, y Jehová entresaca al hombre malo, Acán. Acán dice: 'He pecado. Vi un traje bonito, y la barra de oro y las piezas de plata. Quise tanto estas cosas que me las llevé. Las pueden encontrar todas enterradas dentro de mi tienda.'

Cuando se encuentran las cosas y se le traen a Josué, él le dice a Acán: '¿Por qué nos has causado dificultad? ¡Ahora Jehová te la causará a ti!' Entonces toda la gente apedrea a Acán y su familia hasta que mueren. ¿No muestra eso que nunca debemos llevarnos cosas que no nos pertenecen?

Después Israel sale otra vez a pelear contra Hai. Esta vez Jehová ayuda a su pueblo, y ellos ganan la batalla.

Josué 7:1-26; 8:1-29.

MUCHAS de las ciudades de Canaán ahora se preparan para pelear contra Israel. Creen que pueden ganar. Pero la gente de la ciudad de Gabaón no cree eso. Ellos creen que Dios está ayudando a los israelitas, y no quieren pelear contra Dios. Por eso, ¿sabes lo que hacen los gabaonitas?

Deciden hacer que parezca que viven en un lugar muy lejano. Así que algunos se ponen ropa rasgada y sandalias gastadas. Cargan sobre sus asnos sacos gastados y llevan pan viejo y seco. Entonces van a donde Josué y dicen: 'Hemos venido de un país muy lejano, porque oímos acerca del gran Dios de ustedes, Jehová. Oímos de todo lo que hizo para ustedes en Egipto. De modo que nuestros líderes nos dijeron que preparáramos alimento para un viaje y viniéramos a decirles: "Somos sus siervos. Prometan que no guerrearán con nosotros." Ustedes pueden ver que se nos ha gastado la ropa por el largo viaje, y el pan se nos ha puesto viejo y seco.'

Josué y los otros líderes les creen a los gabaonitas. Por eso les prometen no pelear contra ellos. Pero tres días después pueden ver que en realidad los gabaonitas viven cerca.

'¿Por qué nos dijeron que venían de un país lejano?' pregunta Josué.

Los gabaonitas contestan: 'Porque se nos dijo que su Dios Jehová había prometido darles toda esta tierra de Canaán. Así que temíamos que nos mataran.' Pero los israelitas cumplen su promesa, y no matan a los gabaonitas. En vez de eso, los hacen sus siervos.

El rey de Jerusalén se enoja porque los gabaonitas han hecho la paz con Israel. Así que dice a otros cuatro reyes: 'Vengan y ayúdenme a pelear contra Gabaón.' Y eso hacen los cinco. ¿Fueron sabios los gabaonitas al hacer la paz con Israel, cuando ahora estos reyes vienen contra ellos? Veamos. Josué 9:1-27; 10:1-5.

MIRA a Josué. El dice: '¡Sol, no te muevas!' Y el Sol se detiene. Se queda allí mismo en medio del cielo por un día entero. ¡Jehová hace que esto pase! Pero veamos por qué Josué quiere que el Sol siga brillando.

Cuando los cinco malos reyes del país de Canaán empiezan a combatir contra Gabaón, los gabaonitas mandan un hombre para que pida ayuda a Josué. '¡Ven a nosotros pronto!' dice él. '¡Sálvanos! Todos los reyes de la región de los montes están atacando a tus siervos.'

Enseguida Josué y todos sus guerreros van. Marchan toda la noche. Cuando llegan a Gabaón, los soldados de los cinco reyes se asustan y empiezan a huir. Entonces Jehová hace que caigan grandes piedras de granizo desde el cielo, y más soldados mueren por el granizo que por los guerreros de Josué.

Josué puede ver que pronto el Sol se va a poner. Va a oscurecer, y muchos de los soldados de los cinco malos reyes van a escapar. Por eso Josué ora a Jehová y entonces dice: '¡Sol, no te muevas!' Y cuando el Sol sigue brillando, los israelitas pueden terminar de ganar la batalla.

Hay muchos otros reyes malos en Canaán que odian al pueblo de Dios. A Josué y su ejército les toma unos seis años derrotar a 31 reyes del país. Hecho esto, Josué hace que el país se divida entre las tribus que necesitan tierra.

Pasan muchos años, y Josué al fin muere a los 110 años de edad. Mientras él y sus amigos están vivos, la gente obedece a Jehová. Pero cuando ellos mueren, la gente hace lo malo y se mete en dificultades. Ahora sí necesitan la ayuda de Dios.

Josué 10:6-15; 12:7-24; 14:1-5; Jueces 2:8-13.

CUANDO los israelitas se meten en dificultades, claman a Jehová. El les contesta dándoles líderes valientes que los ayuden. La Biblia los llama jueces. Josué fue el primer juez, y otros jueces después de él fueron: Otniel, Aod y Samgar. Pero dos de las personas que ayudaron a Israel son mujeres, y estas mujeres se llamaban Débora y Jael.

Débora es profetisa. Jehová le da información acerca del futuro, y ella entonces anuncia a la gente lo que Jehová dice. Débora también es juez. Se sienta bajo una palma en la región montañosa y la gente viene a ella para que les ayude a resolver sus problemas.

En este tiempo Jabín es el rey de Canaán. Tiene 900 carros de guerra. Es tan fuerte su ejército que muchos israelitas han tenido que llegar a ser siervos de Jabín. El jefe del ejército de Jabín se llama Sísara.

Un día Débora llama al juez Barac, y le dice: 'Jehová ha dicho: "Toma 10.000 hombres y llévalos al monte Tabor. Allí traeré a Sísara a ti. Y yo te daré la victoria tanto sobre él como sobre su ejército."'

Barac le dice a Débora: 'Voy si tú vas conmigo.' Débora va, pero le dice a Barac: 'No tendrás honra por la victoria, porque Jehová dará a Sísara en manos de una mujer.' Y esto es lo que pasa.

Barac baja del monte Tabor para encontrarse con los soldados de Sísara. De repente, Jehová causa una inundación, y muchos enemigos se ahogan. Sísara baja de su carro y huye.

Poco después Sísara llega a la tienda de Jael. Ella lo invita a entrar, y le da un poco de leche. Esto le da sueño, y pronto se duerme. Entonces Jael toma una estaca de la tienda y se la hunde a él en la cabeza. ¡Después, cuando Barac viene, ella le muestra a Sísara muerto! Lo que Débora dijo se cumplió.

Finalmente se da muerte al rey Jabín; y por un tiempo los israelitas tienen paz.

Jueces 2:14-22; 4:1-24; 5:1-31.

RUT Y NOEMÍ

EN LA Biblia encontrarás un libro llamado Rut. Es una historia sobre una familia que vivió durante el tiempo en que Israel tuvo jueces. Rut es una joven del país de Moab; no pertenece a Israel, la nación de Dios. Pero cuando Rut aprende acerca del Dios verdadero, Jehová, lo ama mucho. Noemí es una señora mayor que ayudó a Rut a conocer a Jehová.

Noemí es israelita. Ella y su esposo y sus dos hijos se mudaron a la tierra de Moab cuando había poco alimento en Israel. Un día, el esposo de Noemí murió. Después, los hijos de Noemí se casaron con dos moabitas llamadas Rut y Orpa. Unos 10 años después, los dos hijos de Noemí murieron. ¡Qué tristeza! ¿Qué haría Noemí ahora?

Un día Noemí decide volver a su propia gente, un viaje largo. Rut y Orpa quieren estar con ella, y la acompañan también. Pero después de algún tiempo en el camino, Noemí les dice a las jóvenes: 'Vuélvanse al lugar de donde vinieron y quédense con sus madres.'

Noemí se despide de ellas con un beso. Ellas empiezan a llorar, porque aman mucho a Noemí. Dicen: '¡No! Nosotras vamos a ir contigo a tu gente.' Pero Noemí les responde: 'Ustedes tienen que regresar, hijas mías. Les irá mejor entre los suyos.' De manera que Orpa empieza el viaje de regreso al lugar de donde vino. Pero Rut no se va.

Noemí se vuelve a ella y dice: 'Orpa se ha ido. Vete con ella también.' Pero Rut contesta: '¡No trates de hacer que te deje! Déjame ir contigo. Donde tú vayas, yo iré, y donde vivas, viviré. Tu pueblo será mi pueblo y tu Dios será mi Dios. Donde tú mueras, yo moriré, y allí me enterrarán.' Cuando Rut dice esto, Noemí deja de tratar de hacer que regrese.

Al fin las dos mujeres llegan a Israel. Se establecen allí. Rut en seguida empieza a trabajar en los campos, porque es tiempo de recoger la cebada. Un hombre llamado Booz le deja recoger cebada en sus campos. ¿Sabes quién era la madre de Booz? Era Rahab, de la ciudad de Jericó.

Un día Booz le dice a Rut: 'He oído mucho de ti, y de lo bondadosa que has sido con Noemí. Sé que dejaste a tu padre y a tu madre y tu propio país y has venido a vivir entre un pueblo que nunca antes habías conocido. ¡Te deseo que Jehová sea bueno contigo!'

Rut contesta: 'Eres muy bondadoso conmigo, señor. Me has hecho sentir mejor por las buenas cosas que me has dicho.' A Booz le agrada mucho Rut, y poco tiempo después se casan. ¡Qué feliz hace esto a Noemí! Pero Noemí se siente más feliz todavía cuando Rut y Booz tienen su primer hijo, llamado Obed. Después Obed llega a ser el abuelo de David; de este David después aprenderemos más. Libro bíblico de Rut.

¿**V**ES lo que está pasando aquí? Estos son guerreros de Israel. Los que ves que se doblan están bebiendo. El juez Gedeón está de pie cerca de ellos. El está notando cómo beben el agua.

Fíjate bien en las diferentes maneras en que los hombres están bebiendo. Algunos bajan la cara hasta el agua misma. Pero uno lleva el agua a la boca en la mano, para poder notar lo que pasa alrededor. Esto es importante, pues Jehová le ha dicho a Gedeón que solo escoja a los que siguen vigilando al beber. Los demás deben volver a su casa. Veamos por qué.

Los israelitas están en mucha dificultad otra vez porque no han obedecido a Jehová. Los madianitas se han hecho más poderosos que ellos y les causan daño. Así que los israelitas piden ayuda a Jehová, y Jehová oye sus clamores.

Jehová le dice a Gedeón que se consiga un ejército, así que Gedeón junta a 32.000 guerreros. Pero hay un ejército de 135.000 hombres contra Israel. Sin embargo, Jehová le dice a Gedeón: 'Tienes demasiados hombres.' ¿Por qué dice eso?

Es porque si los israelitas ganaran la guerra, pudieran pensar que la habían ganado por sí mismos, que no necesitaban la ayuda de Jehová para ganar. Por eso Jehová le dice a Gedeón: 'Di a todos los que tengan miedo que vuelvan a su casa.' Cuando Gedeón hace esto, 22.000 guerreros se van. Eso le deja solo 10.000 hombres para pelear contra los 135.000 soldados.

Pero, ¡oye! Jehová dice: 'Todavía tienes demasiados hombres.' Así que le dice a Gedeón que haga que los hombres beban de esta corriente y entonces mande a casa a todos los que bajen su cara al agua para beber. 'Te daré la victoria con los 300 hombres que han seguido vigilando mientras bebían,' promete Jehová.

Llega el tiempo de la pelea. Gedeón divide en tres grupos a sus 300. A cada hombre da un cuerno, y un jarro con una antorcha dentro. Cuando casi es media noche, todos se reúnen alrededor del campamento de los enemigos. Entonces, al mismo tiempo, hacen sonar sus cuernos y rompen los jarros, y gritan: '¡La espada de Jehová y de Gedeón!' Cuando los soldados enemigos despiertan, se confunden y asustan. Todos huyen, y los israelitas ganan. Jueces, capítulos 6 a 8.

¿HAS hecho alguna vez una promesa que después se te hizo difícil cumplir? Eso le pasó al hombre de esta lámina, y por eso está triste. Es Jefté, un valiente juez de Israel.

Jefté vive en un tiempo en que los israelitas ya no adoran a Jehová. Otra vez están haciendo lo malo. Así que Jehová deja que la gente de Amón les cause daño. Los israelitas claman a Jehová: 'Hemos pecado contra ti. ¡Sálvanos!'

La gente se siente mal por las cosas malas que han hecho. Demuestran esto por medio de adorar a Jehová de nuevo. Por eso, otra vez Jehová los ayuda.

El pueblo escoge a Jefté para que pelee contra los malos amonitas. Jefté desea mucho la ayuda de Jehová en la pelea.

Por eso le promete a Jehová: 'Si tú me das la victoria, te daré a la primera persona que salga de mi casa y que venga a encontrarse conmigo cuando yo esté regresando de la victoria.'

Jehová escucha la promesa de Jefté, y le ayuda a ganar la victoria. Cuando Jefté regresa, ¿sabes quién es la primera persona que sale a recibirlo? Es su hija única. '¡Ay, hija mía!' llora Jefté. '¡Qué tristeza me estás dando! Pero yo le he hecho a Dios una promesa, y ahora no puedo dejar de cumplirle a Jehová mi promesa.'

Cuando la hija de Jefté llega a saber acerca de su promesa, primero se pone triste también, por tener que dejar a su padre y amigos. Pero pasará el resto de su vida sirviendo a Jehová en su tabernáculo de Silo. Así que le dice a Jefté: 'Si tú le hiciste una promesa a Jehová, tienes que cumplirla.'

Así que la hija de Jefté se va a Silo, y pasa el resto de su vida sirviendo a Jehová en su tabernáculo. Las mujeres de Israel la visitan cuatro días de cada año y todas pasan un buen tiempo juntas. La gente ama a la hija de Jefté debido a que la joven es tan buena sierva para su Dios, Jehová.

Jueces 10:6-18; 11:1-40.

EL HOMBRE MÁS FUERTE

¿SABES cómo se llama el hombre más fuerte que ha vivido? Es un juez llamado Sansón. Es Jehová quien le da a Sansón su fuerza. Hasta antes de que Sansón nazca, Jehová le dice a su madre: 'Pronto tendrás un hijo. El va a guiar en dar salvación de los filisteos a Israel.'

Los filisteos son gente mala que vive en Canaán. Tienen muchos guerreros, y causan daño a los israelitas. Una vez, cuando Sansón va a donde viven los filisteos, un león grande sale rugiendo contra él. Pero Sansón mata al león con sus manos nada más. También mata a cientos de malos filisteos.

Después Sansón se enamora de una mujer llamada Dalila.

Los líderes filisteos prometen que cada uno dará a Dalila 1.100 piezas de plata si les dice qué hace tan fuerte a Sansón. Dalila quiere el dinero. No es verdadera amiga de Sansón, ni del pueblo de Dios. Así que ella sigue preguntándole a Sansón a qué se debe que él sea un hombre tan fuerte.

Finalmente, Dalila consigue que Sansón le diga el secreto de su fuerza. 'Nunca me han cortado el pelo,' dice él. 'Desde que nací, Dios me escogió para ser un siervo especial de él llamado un nazareo. Si me cortaran el pelo, perdería mi fuerza.'

Bueno, cuando Dalila oye esto, hace que Sansón se duerma en su falda. Entonces hace que un hombre entre y le corte el pelo. Cuando Sansón se despierta, ha perdido la fuerza. Los filisteos entran entonces y lo capturan. Le sacan los dos ojos, y lo hacen su esclavo.

Un día los filisteos tienen una fiesta grande para adorar a su dios Dagón, y sacan a Sansón de la prisión para burlarse de él. Mientras tanto, el pelo de Sansón ha vuelto a crecer. Sansón le dice al niño que lo lleva de la mano: 'Déjame tocar las columnas que están aguantando el edificio.' Entonces Sansón ora a Jehová por fuerza, y agarra las columnas. Grita ahora: 'Déjame morir con los filisteos.' Hay 3.000 filisteos en la fiesta que se está celebrando, y cuando Sansón se dobla contra las columnas del edificio, el edificio se viene abajo y mata a toda esta mala gente.

Jueces, capítulos 13 a 16.

¿**V**ERDAD que es bonito ese nene? Se llama Samuel. Y el hombre que le pone la mano en la cabeza es el sumo sacerdote de Israel, Elí. Los que traen el niño a Elí son su padre Elcana y su madre Ana.

Samuel tiene solo cuatro o cinco años. Pero va a vivir aquí en el tabernáculo de Jehová con Elí y con los demás sacerdotes. ¿Por qué traerían Elcana y Ana a alguien tan joven como Samuel para servir a Jehová en el tabernáculo? Veamos.

Pocos años antes de esto, Ana estaba muy triste. Esto se debía a que no podía tener un nene, y tenía grandes deseos de tener uno. Así, un día en que estaba visitando el tabernáculo de Jehová, oró: '¡Ay, Jehová, no te olvides de mí! Si tú me das un hijo, te prometo que yo te lo daré, de manera que él pueda servirte durante toda su vida.'

Jehová contestó la oración de Ana, y meses después ella dio a luz a Samuel. Ana amaba a su hijito, y empezó a enseñarle acerca de Jehová cuando todavía era muy pequeñito. Le dijo a su esposo: 'Tan pronto como Samuel tenga suficiente edad y no necesite ya mi atención, lo voy a llevar al tabernáculo para que sirva a Jehová allí.'

Eso es lo que vemos que Ana y Elcana hacen en la lámina. Y porque sus padres habían enseñado tan bien a Samuel, él está contento de poder servir a Jehová aquí en la tienda de Jehová. Cada año sus padres vienen a adorar en esta tienda especial, y a visitar a su hijito. Y cada año Ana trae un nuevo traje sin mangas que ha hecho para Samuel.

Pasan los años, y Samuel sigue sirviendo en el tabernáculo de Jehová, y agrada a Jehová y al pueblo. Pero Ofni y Finees, los hijos del sumo sacerdote Elí, no son buenos. Ellos hacen muchas cosas malas, y también hacen que otros desobedezcan a Dios. Elí debería quitarlos del sacerdocio, pero no lo hace.

El joven Samuel no deja que ninguna de las cosas malas que pasan en el tabernáculo hagan que él deje de servir a Jehová. Pero por mucho tiempo Jehová no le ha hablado a ningún hombre, porque poca gente de veras lo ama. Cuando Samuel crece un poco más, esto pasa:

Samuel está durmiendo en el tabernáculo cuando una voz lo despierta. El contesta: 'Aquí estoy.' Y se levanta y corre a donde Elí, y dice: 'Me llamaste, y aquí estoy.'

Pero Elí contesta: 'Yo no te llamé; vuelve a la cama.' Así es que Samuel vuelve a la cama.

Entonces hay una segunda llamada: '¡Samuel!' Así que Samuel se levanta y vuelve a donde está Elí. 'Me llamaste, y aquí estoy,' dice. Pero Elí contesta: 'No te llamé, hijo mío. Vuelve a acostarte.' Así que Samuel vuelve a la cama.

'¡Samuel!' llama la voz por tercera vez. Así que Samuel corre a donde Elí. 'Aquí estoy; esta vez tienes que haberme llamado,' dice. Ahora Elí sabe que es Jehová quien llama. Le dice a Samuel: 'Acuéstate otra vez, y si él llama, debes decir: "Habla, Jehová, porque tu siervo escucha."'

Eso es lo que Samuel dice cuando Jehová llama otra vez. Jehová le dice entonces a Samuel que va a castigar a Elí y sus hijos. Más tarde, Ofni y Finees mueren peleando con los filisteos, y cuando Elí oye lo que ha pasado, se cae, se rompe el cuello y muere. Así se cumple la palabra de Jehová.

Samuel crece, y llega a ser el último juez de Israel. Cuando se pone viejo, el pueblo le dice: 'Escoge un rey que nos gobierne.' Samuel no quiere, porque en verdad Jehová es el rey de ellos. Pero Jehová le dice que escuche al pueblo.

1 Samuel 1:1-28; 2:11-36; 4:16-18; 8:4-9.

Primer rey de Israel a cautiverio en Babilonia

Saúl llegó a ser el primer rey de Israel. Pero Jehová lo rechazó, y David fue escogido para ser rey en vez de él. Averiguamos muchas cosas acerca de David. De joven, peleó con el gigante Goliat. Más tarde huyó del envidioso rey Saúl. Entonces la bella Abigaíl evitó que él hiciera una cosa tonta.

Después aprendemos muchas cosas acerca de Salomón, el hijo de David, quien ocupó el lugar de David como rey de Israel. Los primeros tres reyes de Israel gobernaron por 40 años cada uno. Después de la muerte de Salomón, la nación de Israel se dividió en dos reinos, un reino del norte y uno del sur.

El reino de 10 tribus del norte duró 257 años antes de que lo destruyeran los asirios. Entonces, 133 años después, el reino de dos tribus del sur también fue destruido. Esta vez los israelitas fueron llevados al cautiverio en Babilonia. Así que la Parte CUATRO cubre 510 años de historia, y durante ese tiempo pasan muchos sucesos emocionantes ante nuestra vista.

FIJATE en Samuel derramando aceite en la cabeza de ese hombre. Esto es lo que le hacían a alguien para mostrar que había sido escogido como rey. Jehová le dice a Samuel que derrame aceite sobre la cabeza de Saúl. Es un aceite especial de dulce olor.

Saúl no creía que él era lo suficientemente bueno para ser rey. 'Yo pertenezco a la tribu de Benjamín, la más pequeña de Israel,' le dice a Samuel. '¿Por qué dices que seré rey? A Jehová le agrada Saúl porque no pretende ser grande e importante. Por eso lo escoge para ser rey.

Pero Saúl no es pobre ni un hombre pequeño. El viene de una familia rica, y es muy hermoso y alto. ¡Le pasa por como la tercera parte de un metro a cualquier otro en Israel! Saúl también es muy buen corredor, y un hombre muy fuerte. La gente se alegra de que Jehová haya escogido a Saúl para ser rey. Todos empiezan a gritar: '¡Viva el rey!'

Los enemigos de los israelitas siguen estando fuertes. Poco después que se hace rey a Saúl, los amonitas suben contra ellos. Pero Saúl reúne un ejército grande, y vence a los amonitas. El pueblo se alegra de tener a Saúl como rey.

Pasan los años, y Saúl guía a los israelitas a muchas victorias. Saúl también tiene un hijo valiente, Jonatán. Y Jonatán ayuda a Israel a ganar muchas batallas. Los filisteos todavía son los peores enemigos de Israel. Un día, miles y miles de filisteos vienen contra Israel.

Samuel le dice a Saúl que espere hasta que él venga y haga un sacrificio a Jehová. Pero Samuel se tarda. Saúl teme que los filisteos empiecen la batalla, así que se adelanta y hace el sacrificio él mismo. Cuando Samuel finalmente llega, le dice a Saúl que ha sido desobediente. 'Jehová escogerá a otra persona para que sea rey sobre Israel,' dice Samuel.

Más tarde, Saúl desobedece otra vez. Samuel le dice: 'Mejor es obedecer a Jehová que hacerle un regalo de las mejores ovejas. Porque no has obedecido a Jehová, él no te seguirá teniendo como rey de Israel.'

De esto podemos aprender una buena lección. Nos muestra que es importante obedecer a Jehová siempre. También, esto nos muestra que alguien bueno, como lo había sido Saúl, puede hacerse malo. ¡Que nunca nos pase eso! ¿verdad?

1 Samuel, capítulos 9 a 11;
13:5-14; 14:47-52; 15:1-35;
2 Samuel 1:23.

¿**P**UEDES ver lo que ha pasado? El niño ha salvado del oso a este corderito. El oso se llevó al cordero para comérselo. Pero el niño lo siguió, y salvó al cordero de la boca del oso. ¡Y cuando el oso se levantó, el niño lo hirió y lo mató! En otra ocasión el niño salvó de un león a una oveja. ¿No te parece que el niño que ha hecho estas cosas es valiente? ¿Sabes tú quién es este niño?

Es el joven David. El vive en el pueblo de Belén. Su abuelo era Obed, el hijo de Rut y Booz. ¿Te acuerdas de ellos? Y el padre de David es Jesé. David atiende las ovejas de su padre. David nació 10 años después que Jehová escogió a Saúl para ser rey.

Llega el tiempo en que Jehová le dice a Samuel: 'Toma algún aceite especial y ve a la casa de Jesé en Belén. He escogido a uno de sus hijos para que sea rey.' Cuando Samuel ve a Eliab, el hijo mayor de Jesé, se dice: 'De seguro éste es.' Pero Jehová le dice: 'No mires a lo alto y hermoso que es. No lo he escogido para ser rey.'

Así que Jesé llama a su hijo Abinadab y lo lleva a Samuel. Pero Samuel dice: 'No, Jehová no lo ha escogido a él tampoco.' Después, Jesé trae a su hijo Sama. 'No, Jehová no ha escogido a éste tampoco,' dice Samuel. Jesé trae siete de sus hijos a Samuel, pero Jehová no escoge a ninguno. '¿Son éstos todos los muchachos?' pregunta Samuel.

'Queda el más joven. Pero está afuera atendiendo las ovejas,' dice Jesé. Cuando le traen a David, Samuel puede ver que es hermoso. 'Este es,' dice Jehová. 'Derrama el aceite sobre él.' Y Samuel lo hace. Con el tiempo, David llegará a ser rey de Israel.

1 Samuel 17:34, 35; 16:1-13.

DAVID Y GOLIAT

LOS filisteos vienen otra vez para pelear contra Israel. Los tres hermanos mayores de David están ahora en el ejército de Saúl. Por eso, un día Jesé le dice a David: 'Lleva granos y panes a tus hermanos. Averigua cómo les va.'

Cuando David llega al campamento, corre a la línea de batalla en busca de sus hermanos. El gigante filisteo Goliat sale a burlarse de los israelitas. Ha estado haciendo esto cada mañana y noche por 40 días. Grita: 'Escojan a alguien para que pelee conmigo. Si él gana y me mata, nosotros seremos esclavos suyos. Pero si yo gano y lo mato, ustedes serán esclavos nuestros. Los reto a escoger a alguien para esto.'

David pregunta a algunos soldados: '¿Qué se le dará al que mate a este filisteo y libre a Israel de esta vergüenza?'

'Saúl le dará muchas riquezas,' un soldado dice. 'Y también le dará su propia hija como esposa.'

Pero todos los israelitas le tienen miedo a Goliat debido a que es un hombre muy grande. El mide casi 3 metros, y tiene otro soldado que le carga el escudo.

Algunos soldados van y le dicen al rey Saúl que David quiere ir a pelear contra Goliat. Pero Saúl le dice a David: 'No puedes. Eres un niñito, y él ha sido soldado siempre.' David dice: 'Yo maté un oso y un león que se llevaron las ovejas de mi padre. Ahora este filisteo será como uno de ellos. Jehová me dará ayuda.' Por esto, Saúl dice: 'Ve, y que Jehová esté contigo.'

David baja a un río y recoge cinco piedras lisas y las mete en su bolso. Entonces sube con su honda a pelear contra el gigante. Goliat no puede creerlo. Le parece que es cosa demasiado fácil matar a David.

'Ven acá,' dice Goliat, 'y daré a comer tu cuerpo a los pájaros y los animales.' Pero David dice: 'Tú vienes a mí con espada, una lanza y una jabalina, pero yo voy contra ti con el nombre de Jehová. Hoy Jehová te dará en las manos mías y yo te derribaré.'

Ahora David corre hacia Goliat. Saca de su bolso una piedra, la pone en su honda, y la lanza contra Goliat con toda su fuerza. ¡La piedra entra en la cabeza de Goliat, quien cae muerto! Al ver a su campeón caído, los filisteos huyen. Los israelitas los siguen y ganan la batalla.

1 Samuel 17:1-54.

DESPUES que David mata a Goliat, Abner el jefe del ejército de Israel lo lleva a donde Saúl. Saúl lo hace un jefe en su ejército y hace que David viva en la casa del rey.

Después, cuando el ejército regresa de pelear con los filisteos, las mujeres cantan: 'Saúl ha matado a miles, pero David a diez miles.' Saúl se pone celoso, porque a David se le da más honra que a él. Pero Jonatán el hijo de Saúl no es envidioso. Ama a David, y David lo ama a él también. Por eso, se prometen ser siempre amigos el uno del otro.

David toca muy bien el arpa, y a Saúl le gusta la música que él toca. Pero un día la gran envidia de Saúl lo lleva a un terrible acto contra David. Mientras éste toca el arpa, Saúl levanta su lanza y se la arroja, mientras dice: '¡Voy a clavar a David a la pared!' Pero David esquiva la lanza. Más tarde, Saúl yerra otra vez al arrojar la lanza contra David. Este ahora sabe que tiene que ejercer mucho cuidado en todo momento.

¿Recuerdas la promesa que Saúl hizo? El dijo que daría su hija como esposa al hombre que matara a Goliat. Por fin Saúl le dice a David que puede tener a su hija Mical, pero primero tiene que matar a 100 filisteos. ¡Imagínate! Lo que Saúl espera es que los filisteos maten a David. Pero eso no pasa, y Saúl da su hija como esposa a David.

Un día Saúl le dice a Jonatán y a todos sus siervos que quiere matar a David. Pero Jonatán le dice: 'No hagas daño a David. El nunca te ha hecho nada malo. En vez de eso, te ha ayudado. Arriesgó su vida al matar a Goliat, y cuando tú lo viste, te alegraste.'

Saúl escucha a su hijo, y promete no causar daño a David. Traen a David de nuevo, y él sirve a Saúl como antes. Sin embargo, un día mientras David toca música, Saúl otra vez le arroja la lanza a David. David la esquiva, y la lanza da en la pared. ¡Esta es la tercera vez! ¡Ahora David sabe que tiene que huir!

Aquella noche David va a su propia casa, pero Saúl manda hombres a matarlo. Mical sabe lo que su padre quiere hacer. Le dice a David: 'Vete esta noche, o mañana estarás muerto.' Esa noche Mical ayuda a David a escapar por una ventana. Por casi siete años David anda escondido por causa de Saúl, y pasa de un lugar a otro. 1 Samuel 18:1-30; 19:1-18.

¿**C**ONOCES a la bella joven que viene a ver a David? Se llama Abigaíl. Ella sabe pensar bien, y evita que David haga algo malo. Pero antes de ver qué fue, vamos a ver lo que le ha estado pasando a David.

Después que David huye de Saúl, se esconde en una cueva. Sus hermanos y el resto de su familia vienen a donde él. Unos 400 hombres vienen a él, y David llega a ser su líder. David va entonces a donde el rey de Moab y dice: 'Por favor, deja que mi padre y mi madre se queden contigo hasta que yo vea lo que me pasa.' Después, David y sus hombres empiezan a esconderse en los montes.

Tiempo después, David conoce a Abigaíl. El esposo de ella, Nabal, es un hombre rico que tiene muchas tierras. Tiene 3.000 ovejas y 1.000 cabras. Nabal es cruel. Pero su esposa Abigaíl es muy bonita. También, sabe hacer lo que es correcto. Una vez hasta salva a su familia. Vamos a ver cómo.

David y sus hombres han sido bondadosos con Nabal. Han ayudado a proteger sus ovejas. Un día David envía a sus hombres a pedirle un favor a Nabal. Ellos llegan a donde está Nabal mientras él y sus ayudantes recortan lana de las ovejas. Es un día de fiesta, y Nabal tiene muchas cosas de comer buenas. Así que los hombres de David dicen: 'Hemos sido buenos contigo. No te hemos robado ninguna oveja, pero te ayudamos a cuidarlas. Por favor, ahora danos algún alimento.'

'No voy a dar alimento a hombres como ustedes,' dice Nabal. Habla con crueldad, y dice cosas malas acerca de David. Cuando los hombres le dicen esto a David, él se enoja mucho. '¡Pónganse las espadas!' les dice. Y salen a matar a Nabal y sus hombres.

Uno de los hombres de Nabal, al oír las palabras crueles de Nabal, le dice a Abigaíl lo que ha pasado. Enseguida Abigaíl prepara algún alimento, lo pone sobre unos asnos y sale. Cuando se encuentra con David, se baja de su asno, se inclina y dice: 'Por favor, señor, no prestes atención a mi esposo Nabal. El es tonto, y hace cosas tontas. Aquí tienes un regalo. Acéptalo, por favor, y perdónanos lo que ha pasado.'

'Eres sabia,' contesta David. 'Has evitado que yo mate a Nabal en pago por su crueldad. Vuelve a tu casa ahora en paz.' Después, cuando Nabal muere, Abigaíl llega a ser una de las esposas de David.

1 Samuel 22:1-4; 25:1-43.

DE NUEVO Saúl trata de capturar a David. Lleva 3.000 soldados de los mejores para buscarlo. Cuando David llega a saber esto, envía espías para ver en qué lugar ha acampado Saúl esa noche. Entonces, a dos de sus hombres les pregunta: '¿Cuál va conmigo al campamento de Saúl?'

'Yo voy,' dice Abisai. Abisai es hijo de Seruya, que es hermana de David. Mientras Saúl y sus hombres duermen, David y Abisai se cuelan en el campamento. Se llevan la lanza y el jarro de agua de Saúl que está al lado de su cabeza. Nadie los ve ni oye porque todos están dormidos.

Mira ahora a David y Abisai. Se han escapado, y están sobre un monte. David le grita al jefe del ejército de Israel: 'Abner, ¿por qué no estás protegiendo a tu amo, el rey? ¡Mira! ¿Dónde están su lanza y su jarro de agua?'

Saúl se despierta. Reconoce la voz de David, y pregunta: '¿Eres tú, David?' ¿Puedes ver a Saúl y Abner allá abajo?

'Sí, mi señor el rey,' contesta David. Y David pregunta: '¿Por qué estás tratando de capturarme? ¿Qué mal he hecho? Aquí está tu lanza, oh rey. Que alguien venga a buscarla.'

'He hecho mal,' admite Saúl. 'He obrado tontamente.' Entonces David se va, y Saúl vuelve a su casa. Pero David se dice: 'Uno de estos días Saúl me va a matar. Debo escapar al país de los filisteos.' Y eso hace. David puede engañar a los filisteos y hacerles creer que ahora los favorece.

Algún tiempo después los filisteos suben a pelear contra Israel. En la batalla, Saúl y Jonatán mueren. Esto hace que David se ponga muy triste, y él escribe una linda canción, en la cual canta: 'Me siento triste por ti, mi hermano, Jonatán. ¡Cuánto te quería!'

Después de esto David vuelve a Israel, a la ciudad de Hebrón. Allí hay una guerra entre los hombres que escogen a Isbóset, hijo de Saúl, para que sea rey y los otros hombres que quieren que David sea rey. Pero finalmente los hombres de David ganan. David tiene 30 años cuando llega a ser rey. Por siete años y medio gobierna en Hebrón. Algunos de los hijos que le nacen allí a David son Amnón, Absalón y Adonías.

Con el tiempo David y sus hombres van a capturar una bella ciudad, Jerusalén. Joab, otro hijo de Seruya, la hermana de David, guía la pelea. Por eso David le da como premio ser jefe del ejército. Ahora David empieza a gobernar en la ciudad de Jerusalén.

1 Samuel 26:1-25; 27:1-7; 31:1-6;
2 Samuel 1:26; 3:1-21; 5:1-10;
1 Crónicas 11:1-9.

DESPUES que David empieza a gobernar en Jerusalén, Jehová da a su ejército muchas victorias. Jehová Dios había prometido dar la tierra de Canaán a los israelitas. Y ahora, con la ayuda de Jehová, toda la tierra que se les prometió llega a ser de ellos.

David es buen gobernante. El ama a Jehová. Por eso, una de las primeras cosas que hace después de capturar a Jerusalén es llevar allí el arca del pacto de Jehová. Quiere construir un templo en el cual ponerla.

Unos años después, David comete un error grave. El sabe que es malo tomar algo que pertenece a otra persona. Pero una noche, cuando está en la azotea de su palacio, mira abajo y ve a una mujer muy hermosa. Se llama Bat-seba, y su esposo es un soldado de David llamado Urías.

David desea tanto a Bat-seba que hace que la traigan a su palacio. El esposo de ella está lejos peleando. Bueno, David le hace el amor a ella y después averigua que ella va a tener un bebé. David se preocupa mucho y hace que Joab el jefe de su ejército ponga a Urías al frente de la batalla para que muera. Cuando Urías muere, David se casa con Bat-seba.

Jehová se enoja mucho con David. Envía a su siervo Natán para que le hable sobre sus pecados. Puedes ver a Natán aquí con David. David se siente muy mal por lo que ha hecho, y Jehová no le da muerte. Pero dice: 'Porque has hecho estas cosas malas, habrá muchísimas dificultades en tu casa.' ¡Y qué ayes tiene David!

Primero, el hijo de Bat-seba muere. Entonces el primer hijo de David, Amnón, obliga a su hermana Tamar a acostarse con él. Enojado por esto, Absalón el hijo de David mata a Amnón.

Después, Absalón se atrae el favor de mucha gente y hace que lo hagan rey. Por fin David gana la guerra contra Absalón, que muere. Sí, David sufre muchos ayes.

En medio de todo esto, Bat-seba da a luz un hijo llamado Salomón. Cuando David está viejo y enfermo, su hijo Adonías trata de hacerse rey. David entonces hace que un sacerdote llamado Sadoc derrame aceite en la cabeza de Salomón para mostrar que Salomón será rey. Poco después muere David a los 70 años de edad. Ha gobernado 40 años. Ahora Salomón es rey.

2 Samuel 11:1-27; 12:1-18; 1 Reyes 1:1-48.

SALOMON es un jovencito cuando llega a ser rey. Ama a Jehová, y sigue el buen consejo que su padre David le dio. A Jehová le agrada Salomón, y por eso una noche le dice en un sueño: 'Salomón, ¿qué quieres que te dé?'

A esto Salomón contesta: 'Jehová mi Dios, yo soy muy joven y no sé cómo gobernar. Por eso, dame sabiduría para gobernar bien a tu pueblo.'

A Jehová le agrada lo que Salomón pide. Por eso dice: 'Porque has pedido sabiduría y no larga vida ni riquezas, te daré más sabiduría que a cualquier persona que haya vivido hasta ahora. Pero, además de eso, yo te daré las cosas que no pediste, sí, te daré riquezas y gloria.'

Poco tiempo después dos mujeres vienen a Salomón con un problema difícil. 'Esta mujer y yo vivimos en la misma casa,' explica una. 'Yo di a luz un nene, y dos días más tarde ella también dio a luz un nene. Una noche, el bebé de ella murió. Pero mientras yo estaba dormida, ella puso su nene muerto a mi lado y se llevó mi bebé. Cuando desperté y vi al nene muerto, noté que no era el mío.'

Al oír esto, la otra mujer dice: '¡No! ¡El nene vivo es mío y el muerto es de ella!' La primera mujer contesta: '¡No! ¡El muerto es tuyo y el vivo es mío!' Así discuten las mujeres. ¿Qué va a hacer Salomón?

Pide una espada, y, cuando se la traen, dice: 'Corten en dos el bebé vivo, y den a cada mujer la mitad.'

'¡No!' grita la verdadera madre. 'Por favor, no maten al bebé. ¡Dénselo a ella!' Pero la otra mujer dice: 'No nos lo den a ninguna de las dos; córtenlo en dos.'

Ahora Salomón dice: '¡No maten al nene! Dénselo a la primera mujer. Ella es la verdadera madre.' Salomón sabe esto porque la madre verdadera ama tanto al bebé que está dispuesta a dárselo a la otra mujer para que no lo maten. Al oír la gente cómo Salomón ha resuelto el problema, se alegra de tener un rey tan sabio.

Durante la gobernación de Salomón, Dios bendice al pueblo haciendo que la tierra dé mucho trigo y cebada, uvas e higos y otros alimentos. La gente lleva buena ropa y vive en buenas casas. De todo lo bueno hay suficiente para todos.

1 Reyes 3:3-28; 4:29-34.

SALOMÓN EDIFICA EL TEMPLO

ANTES de la muerte de David, él dio a Salomón los planes de Dios para construir el templo de Jehová. En el cuarto año de su gobierno, Salomón empieza a edificar el templo, y le toma siete años y medio terminarlo. Decenas de miles de hombres trabajan en el edificio, que cuesta mucho, mucho dinero por el mucho oro y la plata que se usan.

Este templo tiene dos cuartos principales, como los del tabernáculo. Pero el tamaño de éstos es el doble del tamaño de aquéllos. Salomón hace que el arca del pacto se ponga en el cuarto interior; las otras cosas que tenía el tabernáculo se ponen en el otro.

Cuando el templo queda terminado, hay una gran celebración. Salomón se arrodilla enfrente del templo y ora, como ves. 'Ni siquiera el cielo entero puede contenerte,' le dice Salomón a Jehová, 'entonces, ¿cómo puede contenerte este templo? Pero, oh Dios mío, por favor escucha a tu pueblo cuando oren hacia este lugar.'

Cuando Salomón termina su oración, del cielo baja fuego. Quema los sacrificios animales que se han hecho. Y una luz brillante de Jehová llena el templo. Esto muestra que Jehová está escuchando, y que está contento con el templo y la oración de Salomón. Ahora el templo, y no el tabernáculo, llega a ser el lugar adonde el pueblo viene a adorar.

Por mucho tiempo Salomón gobierna con sabiduría, y la gente está contenta. Pero Salomón se casa con muchas mujeres de otros países que no adoran a Jehová. ¿Puedes ver a una de ellas adorando delante del ídolo? Finalmente ellas hacen que Salomón adore a otros dioses. ¿Sabes lo que empieza a pasar ahora? Salomón se hace cruel, y el pueblo ahora no se puede sentir feliz.

Esto hace que Jehová se enoje con Salomón, y le dice: 'Te voy a quitar el reino y se lo voy a dar a otro. No haré esto en tu vida, sino durante el gobierno de tu hijo. Pero no le quitaré a tu hijo toda la gente del reino.' Vamos a ver cómo pasan estas cosas.

1 Crónicas 28:9-21; 29:1-9; 1 Reyes 5:1-18;
2 Crónicas 6:12-42; 7:1-5; 1 Reyes 11:9-13.

¿**S**ABES por qué este hombre está rompiendo en pedazos este vestido? Jehová le dijo que hiciera eso. Este es Ahías el profeta de Dios. ¿Sabes lo que es un profeta? Es alguien a quien de antemano Dios le dice lo que va a pasar.

Aquí Ahías está hablando con Jeroboán. Jeroboán es un hombre a quien Salomón le encargó hacer parte de su trabajo de construcción. Cuando Ahías se encuentra con Jeroboán aquí en el camino, hace una cosa rara. Se quita el vestido nuevo que lleva y lo parte en 12 pedazos. Le dice a Jeroboán: 'Toma 10 pedazos para ti.' ¿Sabes por qué le da 10 pedazos a Jeroboán?

Ahías explica que Jehová le va a quitar el reino a Salomón. Dice que Dios le va a dar 10 tribus a Jeroboán. Esto quiere decir que solo quedarán dos tribus para que Roboam el hijo de Salomón las gobierne.

Cuando Salomón oye lo que Ahías le ha dicho a Jeroboán, se enoja mucho. Trata de matar a Jeroboán, pero éste huye a Egipto. Después, Salomón muere. Fue rey por 40 años, pero ahora su hijo Roboam es rey. En Egipto Jeroboán oye que Salomón ha muerto, de modo que vuelve a Israel.

Roboam no es buen rey. Es más cruel con la gente de lo que había sido su padre Salomón. Jeroboán y otros hombres importantes van a ver a Roboam y le piden que sea mejor con la gente. Pero él no escucha. Hasta se hace más cruel que antes. Por eso la gente pone a gobernar como rey sobre 10 tribus a Jeroboán, pero las dos tribus de Benjamín y Judá siguen teniendo a Roboam como rey.

Jeroboán no quiere que su pueblo vaya a Jerusalén a adorar en el templo de Jehová. Por eso hace dos becerros de oro y hace que la gente del reino de 10 tribus los adore. Pronto el país se llena de delito y violencia.

También hay dificultades en el reino de las dos tribus. Menos de cinco años después que Roboam llega a ser rey, el rey de Egipto viene a pelear contra Jerusalén. Se lleva muchos tesoros del templo de Jehová. Así que el templo no queda por mucho tiempo como al principio.   1 Reyes 11:26-43; 12:1-33; 14:21-31.

JEZABEL LA REINA INICUA

DESPUES de la muerte del rey Jeroboán, cada rey que gobierna el reino norteño de 10 tribus de Israel es malo. El peor es el rey Acab. ¿Sabes por qué? Una gran razón es su esposa, la inicua reina Jezabel.

Jezabel no es israelita. Es hija del rey de Sidón. Adora al dios falso Baal, y hace que Acab y muchos israelitas adoren a Baal también. Jezabel odia a Jehová y mata a muchos de sus profetas. Otros tienen que esconderse en cuevas para que no los maten. Si Jezabel quiere algo, hasta mata a alguien para conseguir lo que desea.

Un día el rey Acab está muy triste. Así que Jezabel le pregunta: '¿Por qué estás triste hoy?'

'Por lo que Nabot me dijo,' contesta Acab. 'Yo quería comprarle su viña. Pero él me dijo que no podía tenerla.'

'Espera,' dice Jezabel. 'Yo te la conseguiré.'

Así que Jezabel escribe cartas a hombres principales de la ciudad donde vive Nabot. 'Hagan que unos hombres que no sirven para nada digan que Nabot ha maldecido a Dios y al rey,' dice. 'Y sáquenlo de la ciudad y mátenlo a pedradas.'

Tan pronto como Jezabel sabe que Nabot está muerto, le dice a Acab: 'Ahora ve y toma su viña.' ¿No es verdad que Jezabel debería ser castigada por una cosa tan terrible?

Por eso, con el tiempo Jehová envía al hombre Jehú para castigarla. Cuando Jezabel oye que Jehú viene, se pinta los ojos y trata de parecer bonita. Pero cuando Jehú viene y la ve en la ventana, dice a los hombres del palacio: '¡Echenla abajo!' Ellos obedecen, como ves en la lámina. La echan abajo, y ella muere. De esa manera termina la inicua reina Jezabel.

1 Reyes 16:29-33; 18:1-4; 21:1-16; 2 Reyes 9:30-37.

¿SABES quiénes son estos hombres y qué hacen? Van a la guerra, y los hombres que van delante están cantando. Quizás preguntes: '¿Por qué no tienen espadas y lanzas para pelear los que cantan?' Vamos a ver.

Josafat es rey del reino de dos tribus de Israel. Vive al mismo tiempo que el rey Acab y Jezabel del reino de 10 tribus del norte. Pero Josafat es un buen rey, y su padre Asa fue bueno también. Así que por muchos años la gente del reino de dos tribus del sur goza de una buena vida.

Pero ahora pasa algo que le da miedo a la gente. Unos mensajeros le dicen a Josafat: 'Viene a atacarte un ejército grande de los países de Moab, Amón y monte Seír.' Muchos israelitas se reúnen en Jerusalén para buscar la ayuda de Jehová.

Van al templo, y allí Josafat ora: 'Oh Jehová nuestro Dios, no sabemos qué hacer. Nada podemos contra este ejército grande. Ayúdanos tú.'

Jehová escucha, y hace que uno de sus siervos le diga al pueblo: 'La batalla no es de ustedes, sino de Dios. No tendrán que pelear. Miren nada más, y vean cómo Jehová los salva.'

Así que a la mañana siguiente Josafat le dice al pueblo: '¡Confíen en Jehová!' Entonces pone cantores al frente de sus soldados, y mientras éstos marchan cantan alabanzas a Jehová. ¿Sabes lo que pasa cuando se acercan a guerrear? Jehová hace que los enemigos peleen entre sí. ¡Y cuando los israelitas llegan, todos los soldados enemigos están muertos!

Josafat fue sabio al confiar en Dios, ¿verdad? Si hacemos lo mismo, somos sabios.   1 Reyes 22:41-53; 2 Crónicas 20:1-30.

SI TE murieras, ¿cómo se sentiría tu mamá si volvieras a vivir? ¡Ella se sentiría muy feliz! Pero ¿puede volver a vivir el que ha muerto? ¿Ha pasado esto antes?

Mira al hombre de la lámina, y a la mujer y el niñito. El hombre es el profeta Elías. La mujer es una viuda de la ciudad de Sarepta, y el niño es hijo de ella. Pues bien, un día el niño se enferma. Se pone peor, y muere. Entonces Elías le dice a la mujer: 'Dame el niño.'

Elías se lleva arriba al niño muerto y lo pone en la cama. Entonces ora: 'Oh Jehová, haz que el niño vuelva a vivir.' ¡Y el niño empieza a respirar! Entonces Elías lo baja y le dice a la mujer: '¡Mira, tu hijo vive!' Eso la hace tan feliz.

Otro profeta importante de Jehová se llama Eliseo. El sirve de ayudante de Elías. Pero con el tiempo Jehová también hace que Eliseo haga milagros. Un día él va a la ciudad de Sunem, y una señora es muy bondadosa con él. Esta misma señora después tiene un hijo.

Una mañana, después que ese niño tiene más edad, va a donde su padre trabaja en el campo. De repente grita: '¡Me duele la cabeza!' Cuando lo llevan a su casa, muere. ¡Qué triste se pone la madre! Enseguida va y busca a Eliseo.

Cuando Eliseo llega, entra en el cuarto con el niño muerto. Ora a Jehová, y se acuesta sobre el cadáver. Pronto el cuerpo del niño se calienta, y él estornuda siete veces. ¡Cuánto se alegra su madre cuando entra y lo ve vivo!

Muchísimas personas han muerto. Esto ha entristecido a sus familias y amigos. Nosotros no podemos resucitar a los muertos. Pero Jehová sí. Después veremos que él va a hacer que millones de personas vivan otra vez.

1 Reyes 17:8-24; 2 Reyes 4:8-37.

¿SABES lo que dice esta niña? Le habla a la señora acerca de Eliseo el profeta de Jehová, y las cosas maravillosas que Jehová le ayuda a hacer. La señora no sabe de Jehová, porque no es israelita. Por eso, veamos por qué la niña está en la casa de esta señora.

La señora es siria. El esposo de ella es Naamán, el jefe del ejército sirio. Los sirios han capturado a esta niña israelita, y ahora es sierva de la esposa de Naamán.

Naamán tiene una mala enfermedad llamada lepra. Esta enfermedad puede hacer que hasta parte de la carne de uno se le caiga. Esto es lo que la niña está diciendo: 'Si mi amo pudiera ir al profeta de Jehová en Israel, él lo curaría de su lepra.' Después esto se le dice al esposo de la señora.

Naamán quiere sanarse; así que decide ir a Israel. Cuando llega allí, va a la casa de Eliseo. Eliseo hace que su siervo salga y le diga a Naamán que se lave siete veces en el río Jordán. Naamán se enoja mucho, y dice: '¡Los ríos de mi país son mejores que cualquier río de Israel!' Dicho esto, se va.

Pero uno de sus siervos le dice: 'Señor, si Eliseo te dijera que hicieras algo difícil, lo harías. Pues, ¿por qué no puedes solo lavarte, como él dijo?' Naamán presta atención a su siervo y se hunde en el río Jordán siete veces. ¡Cuando hace esto, su carne se hace firme y saludable!

Naamán está muy contento. Vuelve a donde Eliseo y le dice: 'Ahora estoy seguro de que el Dios de Israel es el único Dios en toda la Tierra. Por eso, por favor, toma este regalo.' Pero Eliseo dice: 'No, no lo voy a tomar.' Eliseo sabe que sería malo que él aceptara el regalo, porque era Jehová quien había sanado a Naamán. Pero Guejazi el siervo de Eliseo quiere apoderarse del regalo.

Así es que hace esto. Después que Naamán se va, Guejazi corre y lo alcanza. 'Eliseo me mandó a decirte que quiere parte de tu regalo para unos visitantes que acaban de llegarle,' dice. Esto es una mentira. Pero Naamán no lo sabe; así que le da a Guejazi algunas de las cosas.

Cuando Guejazi vuelve, Eliseo sabe lo que ha hecho. Jehová se lo ha dicho. Así que dice: 'Porque hiciste esta cosa mala, la lepra de Naamán la tendrás tú.' ¡Y así pasa, enseguida!

¿Qué podemos aprender de todo esto? Primero, que debemos ser como la niñita y hablar acerca de Jehová. Esto puede hacer mucho bien. Segundo, no debemos ser orgullosos como Naamán al principio, sino obedecer a los siervos de Jehová. Y tercero, no debemos mentir como Guejazi. ¿Verdad que podemos aprender mucho de la Biblia?

2 Reyes 5:1-27.

JONÁS Y EL GRAN PEZ

MIRA al hombre que está en el agua. Le va muy mal, ¿verdad? ¡Ese pez se lo va a tragar! ¿Sabes quién es ese hombre? Se llama Jonás. Vamos a ver cómo se metió en tanto problema ese hombre.

Jonás es profeta de Jehová. Es poco después de la muerte del profeta Eliseo que Jehová le dice a Jonás: 'Ve a la gran ciudad de Nínive. La maldad de la gente allí es muy grande, y quiero que les hables acerca de ello.'

Pero Jonás no quiere ir. Así que se mete en un barco que va en la dirección opuesta a Nínive. A Jehová no le gusta que Jonás huya. Por eso causa una tormenta grande. Es tan mala que el barco se va a hundir. Los marineros se asustan mucho, y gritan a sus dioses que los ayuden.

Al fin, Jonás les dice: 'Yo adoro a Jehová, el Dios que hizo el cielo y la Tierra. Estoy huyendo de hacer lo que Jehová me dijo.' Así que los marineros preguntan: '¿Qué te haremos para detener la tormenta?'

'Échenme en el mar, y el mar se calmará,' dice Jonás. Los marineros no quieren hacer esto, pero cuando la tormenta se hace peor, echan a Jonás al mar. Enseguida la tormenta se detiene, y el mar está en calma de nuevo.

Cuando Jonás se hunde en el agua, un pez grande se lo traga. Pero él no muere. Por tres días y tres noches está en el vientre de ese pez. A Jonás le pesa mucho no haber obedecido a Jehová e ido a Nínive. Por eso, ¿sabes lo que hace?

Jonás ora a Jehová y le pide ayuda. Entonces Jehová hace que el pez vomite a Jonás en la tierra seca. Después, Jonás va a Nínive. ¿No nos enseña esto lo importante que es hacer todo lo que Jehová nos diga?

Libro bíblico de Jonás.

ESTE es un cuadro de un paraíso como el que Dios quizás le mostró a su profeta Isaías. Isaías vivió poco después de Jonás.

Paraíso significa "jardín" o "parque." ¿Te recuerda algo que ya has visto aquí? Sí, el lindo jardín que Dios hizo para Adán y Eva, ¿verdad? Pero, ¿será esto por toda la Tierra?

Jehová le dijo a su profeta Isaías que escribiera acerca del nuevo paraíso venidero para el pueblo de Dios. Dijo: 'Lobos y ovejas vivirán juntos en paz. Becerritos y leoncillos comerán juntos, y niñitos los atenderán. Ni el bebé que juegue cerca de una culebra venenosa recibirá daño.'

'Eso nunca puede ser,' dirán muchos. 'Siempre ha habido ayes en la Tierra, y siempre los habrá.' Pero, piensa, ¿qué clase de hogar había dado Dios a Adán y Eva?

Dios puso a Adán y Eva en un paraíso. Solo fue porque desobedecieron a Dios que perdieron su lindo hogar, y se pusieron viejos y murieron. Dios promete que a los que lo aman les dará las mismas cosas que Adán y Eva perdieron.

En el nuevo paraíso venidero nada causará daño ni destruirá. Habrá paz perfecta. Toda la gente será saludable y feliz como Dios quería que fuera al principio. Después aprenderemos cómo Dios hará esto.

Isaías 11:6-9; Revelación 21:3, 4.

DIOS AYUDA A EZEQUÍAS

¿SABES por qué este hombre está orando a Jehová? ¿Por qué ha puesto estas cartas frente a Su altar? Este es Ezequías. El es rey de las dos tribus del sur de Israel. Y se encuentra en grandes dificultades. ¿Por qué?

Porque los ejércitos asirios ya han destruido a las 10 tribus del norte. Jehová dejó que esto pasara por lo malas que eran aquellas personas. Y ahora los ejércitos asirios han venido contra el reino de dos tribus.

El rey de Asiria acaba de enviar cartas al rey Ezequías. Estas son las cartas que el rey Ezequías ha puesto aquí ante Dios. Las cartas se burlan de Jehová, y le dicen a Ezequías que se rinda. Por eso Ezequías ora: 'Oh Jehová, sálvanos del rey de Asiria. Entonces todas las naciones sabrán que tú solo eres Dios.' ¿Escuchará Jehová?

Ezequías es buen rey. No es como los malos reyes del reino de 10 tribus de Israel, ni como su mal padre el rey Acaz. El ha obedecido con cuidado todas las leyes de Jehová. Por eso, después que él termina de orar, el profeta Isaías le manda este mensaje de Jehová: 'El rey de Asiria no entrará en Jerusalén. Ninguno de sus soldados siquiera se acercará. No dispararán ni una flecha contra la ciudad.'

Mira el cuadro de esta página. ¿Sabes quiénes son todos esos soldados muertos? Son los asirios. Jehová envió su ángel, y en una sola noche el ángel mató a 185.000 soldados asirios. Por eso, el rey de Asiria se va.

El reino de dos tribus se salva, y el pueblo tiene paz por un tiempo. Pero después de la muerte de Ezequías, Manasés su hijo llega a ser rey. Este hombre Manasés y después su hijo Amón son malos reyes. Por eso la tierra se llena de delito y violencia. Cuando los siervos del rey Amón le dan muerte a éste, su hijo Josías es hecho rey del reino de dos tribus.

2 Reyes 18:1-36; 19:1-37; 21:1-25.

JOSIAS tiene solo ocho años cuando llega a ser rey de las dos tribus del sur de Israel. Esa es muy poca edad para un rey. Por eso, al principio personas que son mayores le ayudan a gobernar la nación.

Cuando Josías ha sido rey por siete años, empieza a buscar a Jehová. Sigue el ejemplo de reyes buenos como David, Josafat y Ezequías. Siendo todavía jovencito, hace una cosa valiente.

Por mucho tiempo la mayor parte de los israelitas han sido muy malos. Adoran dioses falsos. Se inclinan a ídolos. Así que Josías y sus hombres empiezan a quitar del país la adoración falsa. Este es un trabajo grande, porque mucha gente adora a dioses falsos. Aquí puedes ver a Josías y sus hombres rompiendo los ídolos.

Después, Josías encarga a tres hombres reparar el templo de Jehová. Se recoge dinero del pueblo y se da a estos hombres para pagar el trabajo que hacen. Mientras ellos trabajan en el templo, el sumo sacerdote Hilcías encuentra allí algo muy importante: el mismísimo libro de la ley que Jehová había hecho que Moisés escribiera mucho tiempo atrás, y que estaba perdido.

Cuando le llevan el libro a Josías, él pide que se lo lean. Al escuchar, Josías puede ver que el pueblo no ha estado guardando la ley de Jehová. Se pone muy triste, y por eso se rasga la ropa, como puedes ver. Dice: 'Jehová está enojado con nosotros, porque nuestros padres no guardaron las leyes escritas en este libro.'

Josías le manda al sumo sacerdote Hilcías que averigüe lo que Jehová les va a hacer. Hilcías va a ver a la profetisa Hulda, y le pregunta. Ella le da este mensaje que viene de Jehová para que se lo lleve a Josías: 'Jerusalén y todo el pueblo serán castigados porque han adorado a dioses falsos y la tierra se ha llenado de maldad. Pero porque tú, Josías, has hecho lo bueno, este castigo que viene no vendrá sino hasta después de que tú hayas muerto.'

2 Crónicas 34:1-28.

UN HOMBRE QUE NO TEME

MIRA a la gente riéndose de este joven. ¿Sabes quién es? Es Jeremías, un muy importante profeta de Dios.

Poco después que el rey Josías empieza a destruir del país los ídolos, Jehová le dice a Jeremías que sea Su profeta. Sin embargo, Jeremías cree que él es demasiado joven para ser profeta. Pero Jehová le dice que El le dará ayuda.

Jeremías dice a los israelitas que dejen de hacer cosas malas. 'Los dioses que la gente de las naciones adora son falsos,' dice. Pero muchos israelitas prefieren adorar a los ídolos, y no a Jehová el Dios verdadero. Cuando Jeremías les dice que Dios los castigará debido a la maldad de ellos, el pueblo se ríe de Jeremías.

Pasan años. Josías muere, y tres meses después su hijo Joaquim llega a ser rey. Jeremías sigue diciendo al pueblo: 'Jerusalén será destruida si ustedes no cambian.' Los sacerdotes le echan mano a Jeremías y gritan: 'Jeremías debe morir; ha hablado contra nuestra ciudad.'

¿Qué hará Jeremías ahora? ¡El no teme! Les dice a todos: 'Jehová me envió a hablarles estas cosas. Si no cambian sus malas maneras de vivir, él destruirá a Jerusalén. Pero pueden estar seguros de esto: Si me matan, matarán a un hombre que no ha hecho nada malo.'

Los príncipes dejan vivir a Jeremías, pero la gente israelita no cambia de hacer malas obras. Después viene Nabucodonosor, el rey de Babilonia, y pelea contra Jerusalén. Al fin, Nabucodonosor hace que los israelitas sean siervos suyos. Se lleva a miles a Babilonia. ¡Imagínate lo que sería que gente extraña te llevara a ti a un país extraño! Jeremías 1:1-8; 10:1-5; 26:1-16; 2 Reyes 24:1-17.

CUATRO NIÑOS EN BABILONIA

EL REY Nabucodonosor se lleva a los israelitas mejor educados a Babilonia. Después, escoge de entre ellos a los jóvenes más hermosos y sabios. Aquí ves a cuatro. Uno es Daniel, y a los otros tres jóvenes los babilonios los llaman Sadrac, Mesac y Abednego.

Nabucodonosor quiere educarlos para que sirvan en su palacio. Después de tres años de educación va a escoger solo a los más inteligentes para que le ayuden a resolver problemas. Quiere que los jóvenes sean fuertes, así que ordena que se les dé el mismo alimento y vino que él y su familia reciben.

Mira al joven Daniel. ¿Sabes lo que le está diciendo a Aspenaz, el siervo principal de Nabucodonosor? Le dice que no quiere comer las cosas ricas de la mesa del rey. Pero Aspenaz se preocupa. 'El rey ha decidido lo que tienen que comer y beber,' dice. 'Y si no parecen tan saludables como los otros jóvenes, me puede matar.'

Por esto Daniel le habla al guardia que Aspenaz les ha puesto a él y sus tres amigos. 'Haz una prueba con nosotros por 10 días,' dice. 'Danos vegetales para comer y agua para beber. Entonces compáranos con los otros jóvenes que comen el alimento del rey, y fíjate en quién parece mejor.'

El guardia concuerda. Y cuando se vencen los 10 días, Daniel y sus tres amigos se ven más saludables que todos los demás jóvenes, y se les deja seguir comiendo vegetales, en vez de lo que el rey da.

Al fin de tres años a todos los jóvenes se les lleva ante el rey Nabucodonosor. Después de hablarles, el rey halla que Daniel y sus tres amigos son los más inteligentes. Por eso, los mantiene como ayudantes en el palacio. Y cuando el rey viene con preguntas y con problemas a donde Daniel, Sadrac, Mesac y Abednego, ellos saben 10 veces más que los sacerdotes o sabios del rey.

Daniel 1:1-21.

HAN pasado más de 10 años desde que el rey Nabucodonosor se llevó a los israelitas mejor educados a Babilonia. ¡Y ahora, mira! Jerusalén está siendo quemada, y los israelitas que no mueren ahora van como prisioneros a Babilonia.

Recuerda, esto es lo que los profetas advirtieron que sucedería si ellos no cambiaban de sus malas obras. Pero los israelitas no escucharon a los profetas. Siguieron adorando a dioses falsos en vez de a Jehová. Así que merecen el castigo. Lo sabemos porque Ezequiel el profeta de Dios nos dice las cosas malas que los israelitas hacían.

¿Sabes quién es Ezequiel? Es uno de los jóvenes que Nabucodonosor se llevó a Babilonia más de 10 años antes de esta gran destrucción de Jerusalén. Daniel y sus tres amigos, Sadrac, Mesac y Abednego, también fueron llevados a Babilonia al mismo tiempo.

Mientras Ezequiel todavía está en Babilonia, Jehová le muestra las cosas malas que están pasando en Jerusalén, en el templo. Jehová hace esto por un milagro. Ezequiel en verdad todavía está en Babilonia, pero Jehová le deja ver todo lo que pasa en el templo. ¡Lo que ve es terrible!

'Fíjate en las cosas repugnantes que la gente está haciendo aquí en el templo,' le dice Jehová a Ezequiel. 'Mira las paredes cubiertas con dibujos de culebras y otros animales. ¡Y mira a los israelitas adorándolos!' Ezequiel puede ver estas cosas, y escribe lo que está pasando.

'¿Ves lo que los líderes israelitas están haciendo en secreto?' le pregunta Jehová a Ezequiel. Sí, él puede ver esto también. Hay 70 hombres, y todos están adorando a dioses falsos. Dicen: 'Jehová no nos ve. Se ha ido del país.'

Entonces Jehová le muestra a Ezequiel algunas mujeres en la puerta norte del templo. Están sentadas allí adorando al dios falso Tamuz. ¡Y mira a los hombres que están en la entrada del templo de Jehová! Hay unos 25. Ezequiel los ve. ¡Están inclinándose hacia el este y adorando al Sol!

'Esta gente no me respeta,' dice Jehová. '¡No solo hacen cosas malas, sino que vienen a mi propio templo y las hacen!' Por eso Jehová promete: 'Sentirán la fuerza de mi ira. Y no lo sentiré por ellos cuando sean destruidos.'

Solo unos tres años después que Jehová le muestra estas cosas a Ezequiel, los israelitas se rebelan contra el rey Nabucodonosor. Así que él sale a pelear contra ellos. Después de año y medio, los babilonios rompen a través de los muros de Jerusalén y queman toda la ciudad. La mayoría de la gente muere o van como prisioneros a Babilonia.

¿Por qué ha dejado Jehová que esta terrible destrucción les venga a los israelitas? Porque no han escuchado a Jehová ni obedecido sus leyes. Esto muestra que es importante que siempre hagamos lo que Dios dice.

Al principio se permite que un grupito quede en la tierra de Israel. El rey Nabucodonosor pone a un judío llamado Gedalías a cargo de esta gente. Pero entonces unos israelitas asesinan a Gedalías. Ahora la gente teme que los babilonios vengan y los destruyan a todos por esto. Así que obligan a Jeremías a irse con ellos, y huyen a Egipto.

Esto deja a la tierra de Israel sin gente alguna. Por 70 años nadie vive en el país. Está completamente vacío. Pero Jehová promete que él hará regresar a su pueblo al país después de 70 años. Mientras tanto, ¿qué le sucede al pueblo de Dios en la tierra de Babilonia? Veamos.

2 Reyes 25:1-26; Jeremías 29:10; Ezequiel 1:1-3; 8:1-18.

Cautiverio a reconstrucción de las murallas de Jerusalén

Mientras los israelitas vivieron en cautiverio en Babilonia, su fe fue sometida a muchas pruebas. Sadrac, Mesac y Abednego fueron echados en un horno ardiente, pero Dios los sacó vivos. Más tarde, tras la derrota de Babilonia por los medos y los persas, Daniel fue echado en un foso de leones, pero Dios también lo protegió cerrando la boca de los leones.

Finalmente, Ciro el rey persa libertó a los israelitas. Ellos regresaron a su país precisamente 70 años después de habérseles llevado cautivos a Babilonia. Una entre las primeras cosas que ellos hicieron al regresar a Jerusalén fue empezar a construir el templo de Jehová. Pero muy pronto los enemigos detuvieron el trabajo de ellos. De modo que fue unos 22 años después de haber vuelto a Jerusalén cuando finalmente terminaron el templo.

Después, aprendemos acerca del viaje de regreso de Esdras a Jerusalén para hermosear el templo. Esto fue unos 47 años después de la terminación del templo. Entonces, 13 años después del viaje de Esdras, Nehemías ayudó a reedificar los muros de Jerusalén, que estaban caídos. La Parte CINCO cubre 152 años de historia hasta ese tiempo.

¿**R**ECUERDAS haber oído acerca de estos tres jóvenes? Sí, son los amigos de Daniel que rehusaron comer lo que no era bueno para ellos. Los babilonios los llamaban Sadrac, Mesac y Abednego. Pero míralos ahora. ¿Por qué no se están inclinando a esta gran imagen como todos los demás? Vamos a ver a qué se debe esto.

¿Recuerdas tú las leyes que Jehová mismo escribió, llamadas los Diez Mandamientos? El primero es: 'No debes adorar más dioses que a mí.' Los jóvenes están obedeciendo esta ley aquí, aunque no es fácil hacer eso.

Nabucodonosor, el rey de Babilonia, ha llamado a mucha gente importante para que honren esta imagen que él ha levantado. Acaba de decir a toda la gente: 'Cuando oigan el sonido de los cuernos, las arpas y los otros instrumentos musicales, inclínense y adoren esta imagen de oro. El que no se incline y adore será echado en un horno ardiente al momento.'

Cuando Nabucodonosor oye que Sadrac, Mesac y Abednego no se han inclinado, se enoja mucho. Hace que los traigan a él. Les da otra oportunidad de inclinarse. Pero los jóvenes confían en Jehová. 'Nuestro Dios a quien servimos puede salvarnos,' le dicen. 'Pero aunque no, no nos vamos a inclinar a tu imagen de oro.'

Al oír esto, Nabucodonosor se enoja más. Hay un horno cerca, y él manda: '¡Calienten el horno siete veces más que antes!' Entonces hace que los hombres más fuertes de su ejército aten a Sadrac, Mesac y Abednego y los echen en el horno. El horno está tan caliente que las llamas matan a los hombres fuertes. Pero ¿qué les pasa a los tres jóvenes que ellos han echado dentro?

El rey mira dentro del horno, y se asusta muchísimo. '¿No atamos a tres hombres y los echamos en el horno ardiente?' pregunta:

'Sí, eso hicimos,' contestan sus siervos.

'Pero yo veo a cuatro hombres caminando en el fuego,' dice él. 'No están atados, y el fuego no les está haciendo daño. Y el cuarto parece un dios.' El rey se acerca a la puerta del horno y grita: '¡Sadrac! ¡Mesac! ¡Abednego! ¡Salgan, siervos del Dios Altísimo!'

Cuando salen, toda la gente puede ver que no han sufrido daño. Entonces el rey dice: '¡Alabado sea el Dios de Sadrac, Mesac y Abednego! Ha enviado su ángel y los ha salvado porque nada los hizo inclinarse y adorar a ningún dios excepto el de ellos.'

¿No es éste un excelente ejemplo de fidelidad a Jehová para nosotros? Exodo 20:3; Daniel 3:1-30.

¿QUE está pasando aquí? Esta gente está teniendo un gran banquete. El rey de Babilonia ha invitado a miles de personas importantes. Están usando las copas de oro y de plata y los tazones sacados del templo de Jehová en Jerusalén. De repente, los dedos de la mano de un hombre aparecen en el aire y empiezan a escribir en la pared. Todos se asustan.

Belsasar, el nieto de Nabucodonosor, es el rey ahora. El grita que traigan a sus sabios. 'El que pueda leer esta escritura y decirme lo que significa,' dice el rey, 'recibirá muchos regalos y será el tercer más importante gobernante del reino.' Pero ninguno de los sabios puede leer la escritura de la pared, ni decir lo que significa.

La madre del rey oye el ruido y entra en el comedor. 'No estés tan asustado, por favor,' le dice ella al rey. 'En tu reino hay un hombre que conoce a los dioses santos. Cuando Nabucodonosor tu abuelo era rey, lo hizo el jefe de todos sus sabios. Se llama Daniel. Haz que él venga, y Daniel te dirá lo que todo esto significa.'

Así que enseguida traen a Daniel. Después de negarse a aceptar regalos, Daniel empieza a decir por qué Jehová una vez quitó de ser rey al abuelo de Belsasar. 'El era muy orgulloso,' dice Daniel. 'Y Jehová lo castigó.'

'Pero tú sabías todo lo que le pasó,' le dice Daniel a Belsasar, 'y todavía eres orgulloso como lo era Nabucodonosor. Has traído las copas y los tazones del templo de Jehová y bebido de ellos. Has alabado a dioses hechos de madera y piedra, y no has honrado a nuestro Magnífico Creador. Por eso Dios ha enviado la mano a escribir estas palabras.

'Lo escrito es esto,' dice Daniel: 'MENE, MENE, TEKEL y PARSIN.'

'MENE significa que Dios ha contado los días de tu reino y le ha puesto fin. TEKEL significa que has sido pesado en las balanzas y se ha hallado que no eres bueno. PARSIN quiere decir que tu reino se da a los medos y los persas.'

Aun mientras Daniel está hablando, los medos y persas empiezan a atacar a Babilonia. Capturan la ciudad y matan a Belsasar. ¡La escritura en la pared se realiza esa misma noche! Pero ¿qué les pasará a los israelitas ahora? Ya veremos, pero ahora volvamos a Daniel, para ver qué le sucede.

Daniel 5:1-31.

¡ANDA! Parece que Daniel está en un aprieto. ¡Pero los leones no le están haciendo nada! ¿Sabes por qué? ¿Quién metió a Daniel entre todos estos leones? Veamos.

El rey de Babilonia es ahora un hombre llamado Darío. Daniel le agrada mucho a él por lo bueno y sabio que es, y Darío lo hace un gran gobernante en su reino. Por esto, otros hombres envidian a Daniel, y hacen esto:

Van a donde Darío y dicen: 'Todos queremos, oh rey, que hagas una ley que diga que por 30 días nadie debe orar a ningún dios ni hombre sino a ti, oh rey. Si alguien desobedece, debe ser echado entre los leones.' Darío no sabe por qué estos hombres quieren esta ley. Pero cree que es buena idea, y escribe la ley. Ahora la ley no puede ser cambiada.

Cuando Daniel oye de esto, va a su casa y ora como siempre lo ha hecho. Los hombres malos sabían que Daniel no dejaría de orar a Jehová. Se alegran, porque parece que van a alcanzar lo que quieren, librarse de Daniel.

Cuando el rey Darío se da cuenta de lo que está pasando, se pone triste. Pero no puede cambiar la ley, y tiene que mandar que echen a Daniel en el hoyo de los leones. Pero el rey le dice a Daniel: 'Espero que el Dios a quien tú sirves te salve.'

Darío está tan inquieto que no puede dormir esa noche. A la mañana siguiente corre al hoyo de los leones. Ahí lo ves. El grita: '¡Daniel, siervo del Dios vivo! ¿Te pudo salvar de los leones el Dios a quien sirves?'

'Dios envió su ángel,' contesta Daniel, 'y cerró la boca de los leones para que no me hicieran daño.'

El rey se alegra mucho. Manda que saquen a Daniel del hoyo. Entonces echa entre los leones a los hombres malos que trataron de librarse de Daniel. Hasta antes de que estos hombres malos lleguen al fondo del hoyo de los leones, éstos los agarran y les rompen todos los huesos.

Entonces el rey Darío escribe a todo su reino: 'Respeten todos al Dios de Daniel. El hace grandes milagros. El salvó a Daniel de que se lo comieran los leones.' Daniel 6:1-28.

CASI han pasado dos años desde que Babilonia fue capturada por los medos y los persas. ¡Y mira lo que pasa ahora! Sí, los israelitas están saliendo de Babilonia. ¿Cómo se libraron? ¿Quién los dejó ir?

Fue Ciro, el rey de Persia. Mucho antes de que Ciro naciera, Jehová hizo que su profeta Isaías escribiera esto de él: 'Harás lo que yo quiero que hagas. Las puertas se te dejarán abiertas para que captures la ciudad.' Y Ciro sí dirigió la captura de Babilonia. Los medos y los persas entraron en la ciudad de noche por puertas dejadas abiertas.

Pero Isaías el profeta de Jehová también dijo que Ciro mandaría que Jerusalén y su templo fueran construidos de nuevo. ¿Dio el rey Ciro este mandato? Sí. Esto fue lo que dijo a los israelitas: 'Vayan a Jerusalén, y construyan allí el templo de Jehová su Dios.' Y esto van a hacer los israelitas.

Pero no todo israelita que se halla en Babilonia puede hacer el largo, largo viaje a Jerusalén. Es un viaje bien largo, de unos 800 kilómetros, y muchos de los israelitas están muy viejos y enfermos para ello. Hay otras razones también. Pero a los que no van, Ciro les dice: 'Den plata y oro y otros regalos a los que van a volver para construir a Jerusalén y construir su templo.'

Por eso, los israelitas que vuelven a Jerusalén reciben muchos regalos. También, Ciro les da los tazones y las copas que el rey Nabucodonosor había quitado del templo de Jehová cuando destruyó a Jerusalén. Son muchas las cosas que el pueblo lleva consigo.

Después de unos cuatro meses de viaje, los israelitas llegan a Jerusalén precisamente a tiempo. Han pasado exactamente 70 años desde que la ciudad fue destruida, y el país quedó sin gente. Pero aunque los israelitas han vuelto a su país, tendrán tiempos difíciles, como veremos. Isaías 44:28; 45:1-4; Esdras 1:1-11.

C ASI 50.000 personas hacen el largo viaje de Babilonia a Jerusalén. Pero cuando llegan, Jerusalén es solo una gran ruina. Nadie vive allí. Los israelitas tienen que construirlo todo de nuevo.

Una de las primeras cosas que hacen es un altar. Este es un lugar donde pueden hacer ofrendas, o regalos, de animales a Jehová. Pocos meses después los israelitas empiezan a construir el templo. Pero enemigos que viven en países cercanos tratan de asustarlos para que se detengan. Por fin, los enemigos consiguen que el nuevo rey de Persia haga una ley para detener el trabajo de construcción.

Pasan años. Ya han pasado 17 años desde cuando los israelitas volvieron de Babilonia. Dios envía sus profetas Ageo y Zacarías para que le digan a la gente que empiece a construir de nuevo. La gente confía en la ayuda de Dios y obedece. Vuelven a construir, aunque una ley les dice que no.

Por eso, un oficial persa llamado Tattenay viene y les pregunta qué derecho tienen para construir el templo. Los israelitas le dicen que en Babilonia el rey Ciro les dijo: 'Vayan a Jerusalén y construyan el templo de Jehová su Dios.'

Tattenay envía una carta a Babilonia y pregunta si Ciro, que ahora está muerto, de veras dijo eso. Pronto viene una carta del nuevo rey de Persia. Dice que sí. Por eso el rey escribe: 'Dejen que los israelitas construyan el templo de su Dios. Y les mando que los ayuden.' En unos cuatro años el templo está terminado, y los israelitas están muy contentos.

Pasan muchos años más. Ahora hace casi 48 años que el templo fue terminado. La gente de Jerusalén es pobre, y la ciudad y el templo de Dios no se ven muy bonitos. Allá en Babilonia el israelita Esdras llega a saber que es necesario arreglar el templo de Dios. Por eso, ¿sabes lo que hace?

Esdras va a ver a Artajerjes, el rey de Persia, y este buen rey le da a Esdras muchos regalos para que los lleve a Jerusalén. Esdras pide a los israelitas que están en Babilonia que le ayuden, y unos 6.000 dicen que irán. Llevan mucha plata y oro y otras cosas preciosas.

Esdras se preocupa, porque hay hombres malos por el camino. Estos hombres pudieran llevarse la plata y el oro de ellos, y matarlos. Por eso Esdras junta a la gente, como puedes ver en la lámina. Entonces oran a Jehová para que los proteja en su largo viaje de regreso a Jerusalén.

Jehová sí los protege. Y tras cuatro meses de viaje, llegan bien a Jerusalén. ¿No muestra esto que Jehová puede proteger a los que confían en él?

Esdras, capítulos 2 a 8.

VAMOS atrás a unos cuantos años antes de que Esdras fuera a Jerusalén. Mardoqueo y Ester son los israelitas de más importancia que hay en el reino de Persia. Ester es la reina y su primo Mardoqueo es segundo en poder solo al rey. Vamos a ver cómo llegó a pasar esto.

Ester perdió sus padres cuando ella era pequeñita, y por eso Mardoqueo la crió. Asuero, el rey de Persia, tiene un palacio en la ciudad de Susa, y Mardoqueo es uno de los siervos que tiene. Pues bien, cierto día Vasti, la esposa del rey, no le obedece, y el rey escoge una nueva esposa como reina. ¿Sabes a quién escoge? Sí, a la linda Ester.

¿Ves a este hombre orgulloso al que se está inclinando la gente? Es Hamán, un hombre muy importante en Persia. El quiere que Mardoqueo, a quien ves sentado allí, se incline a él también. Pero Mardoqueo no hace eso. A él no le parece correcto inclinarse a un hombre tan malo. Hamán se enfurece. Y ahora verás lo que hace.

Hamán le cuenta mentiras al rey acerca de los israelitas. 'Son malos y no obedecen tus leyes,' dice. 'Se les debe matar.' Asuero no sabe que su esposa es israelita. Así que escucha a

Hamán, y hace una ley que dice que en cierto día se ha de dar muerte a todos los israelitas.

Cuando Mardoqueo oye acerca de la ley, se inquieta mucho. Envía un mensaje a Ester: 'Háblale al rey, y pídele que nos salve.' Es contra la ley de Persia ir a ver al rey a menos que se reciba invitación. Pero Ester va sin que la inviten. El rey le extiende su vara de oro, lo cual quiere decir que no la deben matar. Ester invita al rey y a Hamán a una gran comida. Allí el rey le pregunta a Ester qué favor quiere de él. Ester dice que se lo dirá si él y Hamán vienen a otra comida que ella tendrá el día siguiente.

En aquella comida Ester le dice al rey: 'Van a matar a mi pueblo y a mí.' El rey se enoja. '¿Quién se atreve?' pregunta.

'¡El hombre, el enemigo, es este malo Hamán!' dice Ester.

Ahora sí que el rey se enoja. Manda que maten a Hamán. Después, el rey hace a Mardoqueo segundo en poder solo a él. Mardoqueo entonces se encarga de que se haga una nueva ley que permite que los israelitas peleen por su vida en el día en que se supone que los maten. Porque Mardoqueo es tan importante ahora, muchas personas ayudan a los israelitas, y éstos se salvan de sus enemigos.

Libro bíblico de Ester.

LOS MUROS DE JERUSALÉN

¡**F**IJATE qué duro se está trabajando aquí! Los israelitas construyen los muros de Jerusalén. Cuando Nabucodonosor destruyó a Jerusalén 152 años antes, derribó los muros y quemó las puertas de la ciudad. Los israelitas no levantaron las murallas o muros de nuevo al tiempo de volver de Babilonia.

¿Cómo crees que ellos se han sentido todos estos años sin los muros? No se han sentido seguros. Sería fácil para sus enemigos atacarlos. Pero al fin vemos a este hombre, Nehemías, ayudando a la gente a construir las murallas de Jerusalén de nuevo. ¿Sabes tú quién es este hombre Nehemías?

Nehemías es un israelita que viene de la ciudad de Susa, donde viven Mardoqueo y Ester. El trabajaba en el palacio del rey, así que puede haber sido buen amigo de Mardoqueo y Ester. Pero la Biblia no dice que Nehemías trabajara para el esposo de Ester, el rey Asuero. Trabajó para el siguiente rey, Artajerjes.

Recuerda, Artajerjes es el buen rey que dio a Esdras todo aquel dinero para que lo llevara a Jerusalén y arreglara el templo de Jehová. Pero Esdras no levantó los muros caídos de la ciudad. Veamos cómo pasó que Nehemías hiciera esto.

Han pasado 13 años desde que Artajerjes dio a Esdras el dinero para arreglar el templo. Ahora Nehemías es copero principal del rey. El le sirve el vino al rey y se asegura de que no tenga veneno. Es un trabajo importante.

Pues bien, un día Hanani el hermano de Nehemías y otros hombres del país de Israel vienen a visitar a Nehemías. Le cuentan las dificultades de los israelitas, y que los muros de Jerusalén todavía están caídos. Nehemías se pone muy triste, y ora a Jehová sobre esto.

Un día el rey nota que Nehemías está triste, y pregunta: '¿Por qué estás triste?' Nehemías le dice que es por la mala condición de Jerusalén y por los muros caídos. '¿Qué deseas?' le pregunta el rey.

'Déjame ir a Jerusalén,' dice Nehemías, 'para que yo pueda reconstruir los muros.' Artajerjes es muy bondadoso. Le dice que puede ir, y le ayuda a conseguir madera para parte de la construcción. Poco después de llegar a Jerusalén, Nehemías cuenta sus planes al pueblo. Les gusta la idea, y dicen: 'Vamos a empezar a construir.'

Cuando los enemigos de los israelitas ven que el muro va subiendo, dicen: 'Subiremos y los mataremos y detendremos la obra.' Al saber esto, Nehemías da a los obreros espadas y lanzas y dice: 'No les teman. Peleen por sus hermanos, sus hijos, sus esposas, y sus casas.'

El pueblo es muy valiente. Tienen las armas listas día y noche, y siguen construyendo. Por eso, en solo 52 días acaban los muros. Ahora hay seguridad en la ciudad. Nehemías y Esdras enseñan la ley de Dios, y el pueblo es feliz.

Pero todavía no es como era antes de que los israelitas fueran prisioneros en Babilonia. El rey de Persia gobierna y el pueblo tiene que servirle. Pero Jehová ha prometido que él enviará un nuevo rey, y éste traerá paz al pueblo. ¿Quién es éste? ¿Cómo traerá paz a la Tierra? Pasan unos 450 años antes de que se aprenda más sobre este asunto. Entonces hay un muy importante nacimiento de un bebé. Pero eso que pasa ahora es otra historia.

Nehemías, capítulos 1 a 6.

Nacimiento a muerte de Jesús

El ángel Gabriel fue enviado a una excelente joven llamada María. El le dijo que ella tendría un hijo que gobernaría como rey para siempre. El hijo, Jesús, nació en un establo, donde unos pastores lo visitaron. Después, una estrella guió a unos hombres del Oriente hasta él. Aprendemos quién les hizo ver la estrella, y cómo se salvó a Jesús de los esfuerzos que se hicieron por matarlo.

Después, hallamos a Jesús, cuando tenía 12 años de edad, hablando con maestros en el templo. Dieciocho años después Jesús fue bautizado, y entonces empezó la obra de predicar y enseñar el Reino, para la cual Dios lo había enviado a la Tierra. Para que lo ayudaran en esta obra, Jesús escogió a 12 hombres y los hizo sus apóstoles.

Jesús también hizo muchos milagros. Alimentó a miles de personas con solo unos pescaditos y unos cuantos panes. Sanó a los enfermos y hasta levantó a los muertos. Finalmente, aprendemos acerca de las muchas cosas que le sucedieron a Jesús en el último día de su vida, y cómo lo mataron. Jesús predicó por unos tres años y medio, de manera que la PARTE 6 cubre un espacio de poco más de 34 años.

UN ÁNGEL VISITA A MARÍA

ESTA bella mujer es María. Es israelita, y vive en el pueblo de Nazaret. Dios sabe que ella es excelente persona. Por eso ha enviado su ángel Gabriel a hablarle. ¿Sabes lo que Gabriel le dice a María? Vamos a ver.

'Buenos días, altamente favorecida,' le dice Gabriel. 'Jehová está contigo.' María nunca ha visto a esta persona antes. Se preocupa, porque no sabe qué quiere decir él. Pero enseguida Gabriel la tranquiliza.

'No temas, María,' dice. 'Jehová está muy complacido contigo. Por eso va a hacer una maravilla para ti. Pronto tendrás un bebé. Y debes llamarlo Jesús.'

Gabriel sigue explicando: 'Este niño será grande, y será llamado Hijo del Dios Altísimo. Jehová lo hará rey, como fue David. ¡Pero Jesús será rey para siempre, y su reino nunca terminará!'

'¿Cómo puede ser todo esto?' pregunta María. 'Sin casarme y vivir con un hombre, ¿cómo puedo tener un bebé?'

'El poder de Dios vendrá sobre ti,' dice Gabriel. 'Así que el niño será llamado Hijo de Dios.' Entonces le dice: 'Recuerda a tu parienta Elisabet. La gente decía que ella era muy vieja para tener hijos. Pero pronto tendrá un hijo. Así que, ya ves que no hay nada que Dios no pueda hacer.'

Enseguida María dice: '¡Soy la esclava de Jehová! Que me pase tal como has dicho.' Entonces el ángel se va.

María corre a visitar a Elisabet. Cuando Elisabet oye la voz de María, el bebé dentro de Elisabet salta de gozo. Elisabet se llena de espíritu santo y le dice a María: 'Tú eres especialmente bendita entre las mujeres.' María pasa unos tres meses con Elisabet, y entonces vuelve a Nazaret.

Pronto María se va a casar con un hombre llamado José. Pero cuando José sabe que María va a tener un bebé, no cree que debe casarse con ella. Entonces el ángel de Dios le dice: 'No temas tomar a María como esposa. Pues Dios es quien le ha dado un hijo.' Así que María y José se casan, y esperan que Jesús nazca.

Lucas 1:26-56; Mateo 1:18-25.

¿SABES quién es este nenito? Sí, es Jesús. Acaba de nacer en un establo. Un establo es donde se guarda a los animales. María está acostando a Jesús en el pesebre, que es donde se pone el alimento para los asnos y otros animales. Pero ¿por qué están María y José aquí con los animales? Esto no es sitio para el nacimiento de un bebé, ¿verdad?

No, no lo es. Pero ellos están aquí por esto: El hombre que gobierna en Roma, César Augusto, hizo por una ley que toda persona volviera a la ciudad donde había nacido y pusiera su nombre en un libro. Bueno, José había nacido aquí en Belén. Pero cuando él y María llegaron, no encontraron habitación. Tuvieron que venir a donde estaban los animales. ¡Y este mismo día María dio a luz a Jesús! Pero, como ves, él está bien.

¿Puedes ver a los pastores que vienen a ver a Jesús? Ellos

estaban en los campos de noche y una luz brilló alrededor de ellos. ¡Era un ángel! Los pastores se asustaron mucho. Pero el ángel les dijo: '¡No teman! Les tengo buenas nuevas. Hoy, en Belén, ha nacido Cristo el Señor. ¡Este salvará al pueblo! Estará envuelto en telas y acostado en un pesebre.' De repente, muchos ángeles vinieron y empezaron a alabar a Dios. Enseguida estos pastores corrieron a buscar a Jesús, y ahora lo han hallado.

¿Sabes por qué es tan especial Jesús? ¿Sabes quién es *realmente*? Recuerda, en la primera historia de este libro hablamos del primer Hijo de Dios. El trabajó con Jehová en hacer los cielos y la Tierra y todo lo demás. Pues, ¡éste es Jesús!

Sí, Jehová tomó la vida de su Hijo del cielo y la puso dentro de María. Enseguida, dentro de ella empezó a crecer un bebé como lo hacen los demás bebés dentro de sus madres. Pero este bebé era el Hijo de Dios. Finalmente nació aquí en un establo en Belén. ¿Puedes ver por qué se alegraron los ángeles al decir a la gente que Jesús había nacido?

Lucas 2:1-20.

SIGUEN UNA ESTRELLA

¿**P**UEDES ver la brillante estrella señalada por uno de estos hombres? Cuando ellos salieron de Jerusalén, la estrella apareció. Ellos vienen del Oriente, y estudian las estrellas. Creen que esta nueva estrella los lleva a alguien importante.

Cuando los hombres llegaron a Jerusalén, preguntaron: '¿Dónde está el niño que va a ser rey de los judíos?' "Judíos" es otro nombre para israelitas. 'Vimos primero su estrella en el Oriente,' dicen los hombres, 'y venimos a adorarlo.'

Cuando Herodes, rey en Jerusalén, supo esto, se agitó. El no quería que otro rey tomara el lugar de él. Así que preguntó a los sacerdotes principales: '¿Dónde nacerá el rey prometido?' Ellos contestaron: 'La Biblia dice que en Belén.'

Así que Herodes dijo a los hombres del Oriente: 'Busquen al niñito. Cuando lo encuentren, déjenmelo saber. Yo también quiero ir a adorarlo.' ¡Pero en realidad Herodes quería matar al niño!

Entonces la estrella se mueve delante de los hombres hasta Belén, y se detiene sobre el lugar donde está el niño. Cuando los hombres entran en la casa, encuentran a María y al pequeño Jesús. Dan regalos a Jesús. Pero después Jehová les advierte en un sueño que no vuelvan a Herodes. Por eso se van a su propio país por otro camino.

Cuando Herodes oye que los hombres se han ido, se enoja mucho. Manda matar a los nenes de Belén de dos años de edad y menos. Pero Jehová le da aviso a José antes en un sueño, y José se va con su familia a Egipto. Después, cuando José oye que Herodes ha muerto, lleva a María y Jesús de vuelta a Nazaret. Es aquí en Nazaret donde Jesús crece.

¿Quién crees que hizo que aquella nueva estrella brillara? Recuerda, los hombres fueron primero a Jerusalén al ver aquella estrella. Satanás el Diablo quería matar al Hijo de Dios, y sabía que el rey Herodes de Jerusalén trataría de matarlo. Así que Satanás tiene que haber hecho que aquella estrella brillara. Mateo 2:1-23; Miqueas 5:2.

MIRA al muchacho que habla con los hombres mayores. Ellos son maestros en el templo de Dios en Jerusalén. Y el muchacho es Jesús. Ha crecido bastante. Ahora tiene 12 años.

Los maestros están muy sorprendidos de que Jesús sepa tanto acerca de Dios y las cosas escritas en la Biblia. Pero, ¿por qué no están aquí José y María también? ¿Dónde están? Veamos.

Cada año José trae su familia a Jerusalén para guardar la celebración especial llamada la Pascua. Es largo el viaje de Nazaret a Jerusalén. Nadie tiene auto, y tampoco hay trenes. No existían entonces. La mayoría de la gente anda, y a ellos les toma como tres días llegar a Jerusalén.

Para ahora José tiene una familia grande. Así que tiene que atender a unos hermanos y hermanas más jóvenes de Jesús. Pues bien, este año José y María están volviendo con sus hijos a Nazaret. Creen que Jesús está con las otras personas que están viajando. Pero cuando se detienen al fin del día, no lo pueden encontrar. ¡Lo buscan entre parientes y amigos, pero no está! Así que vuelven a Jerusalén para buscarlo allí.

Al fin lo encuentran aquí. Está oyendo a los maestros y haciéndoles preguntas. Y toda la gente se sorprende de su sabiduría. Pero María dice: 'Hijo, ¿por qué nos has hecho esto? Tu padre y yo hemos estado muy preocupados buscándote.'

'¿Por qué tenían que buscarme?' contesta Jesús. '¿No sabían que tenía que estar en la casa de mi Padre?'

Sí, a Jesús le gusta estar donde pueda aprender de Dios. Nosotros debemos ser así, ¿verdad? Allá en Nazaret, Jesús iba a las reuniones de adoración cada semana. Porque él siempre prestaba atención, aprendió muchas cosas de la Biblia. Sigamos el ejemplo de Jesús.

Lucas 2:41-52; Mateo 13:53-56.

JUAN BAUTIZA A JESÚS

MIRA la paloma que baja hacia la cabeza del hombre. El hombre es Jesús. Ahora tiene unos 30 años de edad. Y el que está con él es Juan. Ya aprendimos algo acerca de él. ¿Recuerdas cuando María visitó a su parienta Elisabet, y el bebé que estaba dentro de Elisabet saltó de gozo? Ese bebé no nacido era Juan. Pero ¿qué hacen Juan y Jesús ahora?

Juan acaba de hundir a Jesús en las aguas del río Jordán. Así es como se bautiza. Se hunde a alguien en el agua, y entonces se le saca. Juan le hace esto a la gente; por eso lo llaman Juan el Bautizante. Pero ¿por qué ha bautizado a Jesús?

Bueno, Juan lo hizo porque Jesús vino y le pidió que lo bautizara. Juan bautiza a personas que quieren mostrar que les pesan las cosas malas que han hecho. Pero ¿ha hecho Jesús algo que le deba pesar? No, Jesús nunca hizo eso, porque es el propio Hijo de Dios venido del cielo. Por eso, tiene otra razón para pedirle a Juan que lo bautice. Veamos cuál es.

Antes de que Jesús viniera a Juan, era carpintero. El carpintero hace cosas de madera, como mesas y sillas y bancos. José, el esposo de María, era carpintero, y él enseñó a Jesús a serlo también. Pero Dios no ha enviado a su Hijo a la Tierra para ser carpintero. Tiene un trabajo especial para él, y ha llegado el tiempo para éste. Por eso, para mostrar que ha venido ahora a hacer la voluntad de su Padre, Jesús le pide a Juan que lo bautice. ¿Agrada esto a Dios?

Sí, porque, después que Jesús sale del agua, una voz del cielo dice: 'Este es mi Hijo, en quien me complazco.' También, parece que los cielos se abren y esta paloma baja hacia Jesús. Pero no es una verdadera paloma. Solo parece una. En realidad es el espíritu santo de Dios.

Ahora Jesús tiene que pensar en muchas cosas, así que se va a un lugar solitario por 40 días. Allí Satanás viene a él. Tres veces Satanás trata de hacer que Jesús viole las leyes de Dios. Pero Jesús no hace eso.

Después de eso, Jesús regresa y conoce a unos hombres que llegan a ser sus primeros seguidores, o discípulos. Algunos son: Andrés, Pedro (también llamado Simón), Felipe y Natanael (también llamado Bartolomeo). Jesús y éstos salen hacia el distrito de Galilea. Allí se detienen en el pueblo de Natanael, Caná, donde, en unas bodas, Jesús hace su primer milagro. ¿Sabes qué es? Convierte agua en vino.

Mateo 3:13-17; 4:1-11; 13:55; Marcos 6:3; Juan 1:29-51; 2:1-12.

JESUS se ve muy enojado aquí, ¿verdad? ¿Sabes por qué? Porque estos hombres que están en el templo de Dios en

Jerusalén son muy codiciosos. Están tratando de sacarle mucho dinero a la gente que viene aquí a adorar a Dios.

¿Ves todos esos novillos y ovejas y palomas? Bueno, estos hombres están vendiéndolos aquí mismo en el templo. ¿Sabes tú por qué? Es porque los israelitas necesitan animales y pájaros para sacrificarlos a Dios.

La ley de Dios decía que cuando un israelita hacía algo malo, debía hacer una ofrenda a Dios. Y en otros casos, también, los israelitas tenían que hacer ofrendas. Pero ¿dónde podían conseguir pájaros y animales para ofrecerlos?

Algunos eran dueños de pájaros y animales que podían ofrecer. Pero muchos israelitas no tenían animales ni pájaros. Y otros vivían tan lejos de Jerusalén que no podían traer un animal al templo. Por eso la gente venía aquí y compraba los animales o pájaros. Pero estos hombres cobraban demasiado dinero por ellos. Le robaban a la gente. Además, no deberían vender aquí mismo en el templo de Dios.

Esto es lo que enoja a Jesús. Así que él vuelca las mesas donde está el dinero y esparce las monedas. También, hace un azote de sogas y saca del templo los animales. Ordena a los que venden las palomas: '¡Sáquenlas de aquí! Dejen de hacer de la casa de mi Padre un lugar donde se venga a conseguir mucho dinero.'

Algunos seguidores de Jesús están con él aquí en el templo en Jerusalén. Se sorprenden cuando ven lo que Jesús hace. Entonces recuerdan que la Biblia dice del Hijo de Dios: 'El amor de la casa de Dios arderá en él como fuego.'

Mientras Jesús está aquí en Jerusalén asistiendo a la Pascua, hace muchos milagros. Después, Jesús sale de Judea y empieza a volver a Galilea. Pero pasa por el distrito de Samaria. Veamos qué pasa allí.

Juan 2:13-25; 4:3, 4.

CON LA MUJER EN EL POZO

JESUS se ha detenido a descansar cerca de un pozo en Samaria. Sus discípulos se han ido al pueblo a comprar alimentos. La mujer con quien Jesús habla ha venido a sacar agua. El le dice: 'Dame de beber.'

Esto sorprende mucho a la mujer. ¿Sabes por qué? Jesús es judío, y ella es samaritana. Y a la mayoría de los judíos les desagradan los samaritanos. ¡Ni les hablan! Pero Jesús ama a gente de toda clase. El le dice: 'Si supieras quién te pide de beber, tú le pedirías, y él te daría agua que da vida.'

'Señor,' dice la mujer, 'el pozo es hondo, y tú ni tienes un balde. ¿Dónde conseguirías esta agua que da vida?'

'Si bebes agua de este pozo te dará sed otra vez,' explica Jesús. 'Pero el agua que yo daré puede hacer que uno viva para siempre.'

'Señor,' dice la mujer, '¡dame esta agua! Entonces no tendré sed nunca más. Y jamás tendré que venir aquí para conseguir agua.'

La mujer cree que Jesús está hablando de agua verdadera. Pero él está hablando sobre la verdad acerca de Dios y su reino, que es como agua que da vida. Puede dar vida eterna.

Jesús ahora le dice a la mujer: 'Ve y llama a tu esposo y vuelve acá.'

'Yo no tengo esposo,' dice ella.

'Contestaste bien,' dice Jesús, 'Pero has tenido cinco esposos, y el hombre con el cual estás viviendo ahora no es tu esposo.'

La mujer se sorprende, porque todo esto es verdad. ¿Cómo sabía estas cosas Jesús? Sí, es porque Jesús es el Prometido dado por Dios, enviado por él, y Dios le da esta información.

Ahora los discípulos de Jesús regresan, y les sorprende que él esté hablando con una samaritana.

¿Qué aprendemos de todo esto? Que Jesús es bondadoso con gente de toda raza. Nosotros debemos ser así; no debemos pensar que alguien sea malo solo por su raza. Jesús quiere que toda la gente conozca la verdad que lleva a vida eterna. Y nosotros debemos querer ayudar a la gente a aprenderla.

Juan 4:5-43; 17:3.

MIRA a Jesús sentado aquí. Está enseñando a toda esta gente en una montaña de Galilea. Los más cercanos a él son sus discípulos. El ha escogido a 12 de ellos para que sean apóstoles. Los apóstoles son discípulos especiales de Jesús. ¿Sabes cómo se llaman?

Primero, Simón Pedro y su hermano Andrés. Entonces, Santiago y Juan, que son hermanos también. Otro apóstol se llama Santiago también, y otro se llama Simón también. Dos apóstoles se llaman Judas. Uno es Judas Iscariote, y el otro Judas también se llama Tadeo. También están Felipe y Natanael (llamado también Bartolomeo), y Mateo y Tomás.

Después de volver de Samaria, Jesús empieza a predicar por primera vez: 'El reino de los cielos se ha acercado.' ¿Sabes qué es ese reino? Es un verdadero gobierno de Dios. Jesús es su rey. El gobernará desde el cielo y traerá paz a la Tierra. Toda la Tierra será hecha un paraíso por el reino de Dios.

Jesús aquí está enseñando a la gente acerca del reino. 'Así deben orar,' explica él. 'Padre nuestro que estás en los cielos, honrado sea tu nombre. Venga tu reino. Hágase tu voluntad en la Tierra, como se hace en el cielo.' Muchas personas llaman a esta oración 'La oración del Señor.' Otras, el 'Padrenuestro.' ¿Puedes decir la oración completa?

Jesús también está enseñando a la gente cómo deben ser unos con otros. 'Haz a otros lo que quieres que te hagan a ti,' dice. ¿No te gusta cuando otros te tratan con bondad? Por eso, debemos ser buenos con otros. ¡Qué bueno será en la Tierra paradisíaca cuando todos hagan esto! ¿verdad?

Mateo, capítulos 5 a 7; 10:1-4.

LA NIÑA que ves aquí tiene 12 años. Jesús la tiene de la mano, y la madre y el padre de ella están cerca. ¿Sabes por qué están tan contentos? Vamos a ver.

Este padre de la niña es un hombre importante llamado Jairo. Un día su hija enferma, y la ponen en una cama. Pero no mejora; se pone cada vez más enferma. Jairo y su esposa se preocupan mucho, porque parece que la niñita se va a morir. Ella es su única hija. Así que Jairo busca a Jesús. El ha oído acerca de los milagros que Jesús hace.

Cuando Jairo halla a Jesús, hay una muchedumbre grande alrededor de él. Pero Jairo pasa por en medio de la muchedumbre y cae a los pies de Jesús. 'Mi hija está muy enferma,' dice. 'Ven, por favor, y sánala,' suplica. Jesús dice que vendrá.

Mientras caminan, la muchedumbre sigue empujando para acercarse. De repente Jesús se detiene. '¿Quién me tocó?' pregunta. Jesús sintió que de él salió poder, y sabe que alguien lo ha tocado. Pero ¿quién? Es una mujer que ha estado enferma por 12 años. ¡Vino y tocó la ropa de Jesús, y sanó!

Esto hace que Jairo se sienta mejor, porque puede ver que es fácil para Jesús sanar a alguien. Pero entonces viene un mensajero. 'No molestes más a Jesús,' le dice a Jairo. 'Tu hija ha muerto.' Jesús oye esto y le dice a Jairo: 'No te preocupes; ella estará bien.'

Cuando por fin llegan a la casa de Jairo, la gente está llorando con gran tristeza. Pero Jesús dice: 'No lloren. La niña no ha muerto. Solo duerme.' Pero ellos se ríen y burlan de Jesús, porque saben que ella está muerta.

Jesús entonces entra con el padre y la madre de la niña y tres de sus apóstoles en el cuarto donde la niña está. La toma de la mano y dice: '¡Levántate!' Y ella vuelve a vivir, como lo ves aquí. ¡Se levanta y camina! Por eso el padre y la madre de ella están tan felices.

Esta no es la primera persona a quien Jesús levanta de entre los muertos. El primero es el hijo de una viuda que vive en la ciudad de Naín. Después, Jesús también resucita a Lázaro, el hermano de María y Marta. Cuando Jesús gobierne como el rey dado por Dios, resucitará a muchísimas personas. ¿No nos debe alegrar eso?

Lucas 8:40-56; 7:11-17; Juan 11:17-44.

JESÚS ALIMENTA A MUCHOS

ALGO terrible ha pasado. Se acaba de dar muerte a Juan el Bautizante. Herodías, la esposa del rey, le tenía odio. Y logró que el rey mandara cortarle la cabeza.

Cuando Jesús oye acerca de esto, se pone triste. Se va a un lugar desierto solo. Pero la gente lo sigue. Cuando Jesús ve a las muchedumbres, les tiene lástima. Por eso, les habla acerca del reino de Dios, y sana a sus enfermos.

Aquella noche sus discípulos vienen a él y dicen: 'Ya es tarde, y éste es un lugar solitario. Despide a la gente para que puedan comprar alimento en las aldeas cercanas.'

'Ellos no tienen que irse,' dice Jesús. 'Ustedes denles algo de comer.' Volviéndose a Felipe, Jesús pregunta: '¿Dónde podemos comprar suficiente alimento para toda esta gente?'

'Va a costar muchísimo dinero comprar suficiente para que todos puedan tener un poquitito,' contesta Felipe. Andrés habla: 'Este muchacho, que lleva nuestro alimento, tiene cinco panes y dos pescados. Nunca bastaría para toda esta gente.'

'Díganle a la gente que se siente sobre la hierba,' dice Jesús. Entonces da gracias a Dios por el alimento, y empieza a partirlo en pedazos. Los discípulos pasan el pan y el pescado a toda la gente. Hay 5.000 hombres, y otros miles de mujeres y niños. Todos comen hasta que están llenos. ¡Y cuando los discípulos recogen las sobras, hay 12 canastas llenas!

Jesús ahora hace que sus discípulos entren en un bote para cruzar el mar de Galilea. Durante la noche se presenta una gran tormenta, y las olas mueven el bote a un lado y al otro. Los discípulos tienen mucho miedo. Entonces, en medio de la noche, ven a alguien cruzando a pie hacia ellos por el agua. Gritan de miedo, porque no saben lo que están viendo.

'No teman,' dice Jesús. '¡Soy yo!' Todavía no lo pueden creer. Así que Pedro dice: 'Si eres tú, Señor, dime que cruce el agua hacia ti.' Jesús contesta: '¡Ven!' ¡Y Pedro sale y anda sobre el agua! Entonces le da miedo y empieza a hundirse, pero Jesús lo salva.

Más tarde, Jesús de nuevo alimenta a miles de personas. Esta vez lo hace con siete panes y unos cuantos pescaditos. Y otra vez hay suficiente para todos. ¡Qué bueno es ver como Jesús atiende a la gente! ¡Bajo su reino, no tendremos que preocuparnos por nada!

Mateo 14:1-32; 15:29-38; Juan 6:1-21.

MIRA a Jesús aquí con sus brazos alrededor del muchachito. Puedes ver que él se interesa en los niños. Los hombres que miran son sus apóstoles. ¿Sabes qué les dice Jesús?

Jesús y sus apóstoles acaban de volver de un largo viaje. Por el camino los apóstoles tuvieron una discusión. Por eso, después del viaje Jesús les pregunta: '¿Qué discutían en el camino?' En verdad Jesús sabe qué discutían. Pero hace la pregunta para ver si los apóstoles le dicen.

Los apóstoles no contestan, porque en el camino han estado discutiendo sobre cuál de ellos es el mayor. Algunos quieren ser más importantes que los demás. ¿Cómo les dirá Jesús que no es correcto el deseo de ser el mayor?

El llama al muchachito, y lo pone enfrente de todos ellos. Entonces dice a sus discípulos: 'Quiero que sepan esto bien: A menos que cambien y se hagan como niñitos, nunca entrarán en el reino de Dios. La persona más grande en el reino es el que se hace como este niñito.' ¿Sabes por qué dijo esto?

Bueno, los niños bien pequeñitos no piensan en ser más grandes ni más importantes que otros. Por eso los apóstoles deberían aprender a ser como niños de esta manera y no pelear por ser grandes o importantes.

En otras ocasiones, también, Jesús muestra lo mucho que le interesan los niñitos. Unos meses después algunas personas traen sus hijos a ver a Jesús. Los apóstoles tratan de alejarlos. Pero Jesús les dice: 'Dejen que los niños vengan a mí, y no los detengan, porque el reino de Dios pertenece a personas como ellos.' Entonces abraza a los niños, y los bendice. ¡Qué bueno saber que Jesús ama a los niños! ¿verdad?

Mateo 18:1-4; 19:13-15; Marcos 9:33-37; 10:13-16.

CÓMO ENSEÑA JESÚS

UN DIA Jesús le dice a un hombre que él debe amar a su prójimo. El le pregunta: '¿Quién es mi prójimo?' Bueno, Jesús sabe lo que el hombre está pensando. El hombre piensa que solo personas de su propia raza y religión son su prójimo, o vecino. Por eso, veamos lo que Jesús le dice.

A veces Jesús enseña por medio de contar una historia. Esto es lo que hace ahora. Cuenta una historia de un judío y un samaritano. Ya hemos aprendido que a la mayoría de los judíos no les gustan los samaritanos. Esta es la historia:

Un día un judío iba bajando por un camino de montaña a Jericó. Pero unos ladrones lo asaltaron. Le quitaron el dinero y lo golpearon hasta casi matarlo.

Más tarde, un sacerdote judío pasó por el camino. Vio al hombre golpeado. ¿Qué crees que hizo? Pues, solo cruzó al otro lado del camino y siguió andando. Entonces otra persona muy religiosa pasó. Era un levita. ¿Se detuvo? No, no se detuvo tampoco para ayudar al hombre. Puedes ver al sacerdote y al levita a lo lejos, camino abajo.

Pero mira quién está aquí con el que fue golpeado. Es un samaritano. Y está dando ayuda al judío. El le echa una medicina en las heridas. Después, lleva al judío a donde pueda descansar y sanarse.

Al terminar de contar su historia, Jesús le dice al que le hizo la pregunta: 'Bien, ¿cuál de estos tres crees que obró como prójimo o vecino con el que había sido golpeado? ¿El sacerdote, el levita, o el samaritano?'

El hombre contesta: 'El samaritano. El fue bueno con el hombre que fue golpeado.'

Jesús dice: 'Tienes razón. Por eso, ve y trata a otras personas de la misma manera que él lo hizo.'

¿No te gusta la manera de enseñar que usa Jesús? Nosotros podemos aprender muchas cosas importantes por lo que Jesús dice en la Biblia, ¿verdad?

Lucas 10:25-37.

JESÚS SANA A LOS ENFERMOS

MIENTRAS Jesús viaja por el país, sana a los enfermos. La noticia de estos milagros se da en pueblos de alrededor. Por eso, la gente le lleva los tullidos, ciegos y cojos, y muchos otros enfermos. Y Jesús los sana a todos.

Ya han pasado más de tres años desde que Juan bautizó a Jesús. Y Jesús les dice a sus apóstoles que pronto va a ir a Jerusalén, donde lo van a matar, y entonces se levantará de entre los muertos. Entretanto, sigue sanando a los enfermos.

Un día Jesús está enseñando en sábado. El sábado es un día de descanso para los judíos. La mujer que ves aquí estuvo doblada por 18 años, y no podía enderezarse. Por eso, Jesús pone las manos sobre ella, y ella se endereza. ¡Está sana!

Esto hace que los líderes religiosos se enojen. 'Hay seis días para trabajar,' grita uno de ellos a la muchedumbre. '¡Esos son los días para venir a sanarse, no el sábado!'

Pero Jesús contesta: '¡Malos! Cualquiera de ustedes desataría su asno y lo llevaría a beber en sábado. Por eso, ¿no debería ser sanada esta pobre mujer, que ha estado enferma 18 años?' Esta contestación avergüenza a estos hombres malos.

Más tarde, Jesús y sus apóstoles siguen hacia Jerusalén. Cuando se encuentran cerca del pueblo de Jericó, dos mendigos ciegos gritan: 'Jesús, ayúdanos.'

Jesús llama a los ciegos, y pregunta: '¿Qué quieren que les haga?' Ellos dicen: 'Señor, que se nos abran los ojos.' Jesús les toca los ojos, ¡y enseguida pueden ver! ¿Sabes por qué hace Jesús todos estos milagros? Porque ama a la gente y quiere que tengan fe en él. Esto nos asegura que cuando él reine nadie en la Tierra estará enfermo de nuevo. Mateo 15:30, 31; Lucas 13:10-17; Mateo 20:29-34.

JESÚS VIENE COMO REY

UN POCO después de haber sanado a los dos mendigos ciegos, Jesús viene a una aldea pequeña cerca de Jerusalén. Dice a dos de sus discípulos: 'Entren en la aldea y hallarán un asno joven. Desátenlo y tráiganmelo.'

Cuando le traen el asno, Jesús se sienta sobre él. Entonces viaja sobre él a Jerusalén, que está a poca distancia. Cuando se acerca a la ciudad, una gran muchedumbre sale a recibirlo. La mayoría de la gente se quita sus mantos y los pone en el camino. Otros ponen ramas de palmeras, y gritan: '¡Dios bendiga al rey que viene en el nombre de Jehová!'

Mucho tiempo atrás en Israel los nuevos reyes entraban en Jerusalén sobre un asno para mostrarse al pueblo. Esto es lo que Jesús

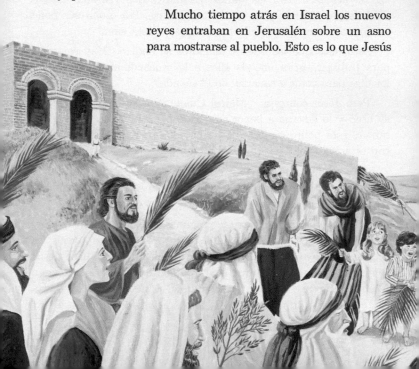

hace. Y estas personas están mostrando que quieren que Jesús sea su rey. Pero no toda la gente lo quiere. Esto lo podemos ver por lo que sucede cuando Jesús va al templo.

En el templo Jesús sana a personas que están ciegas y tullidas. Cuando los niñitos ven esto, gritan alabanzas a Jesús. Pero esto hace que los sacerdotes se enojen, y le dicen a Jesús: '¿Oyes lo que están diciendo los niños?'

'Sí,' dice Jesús. '¿Nunca han leído en la Biblia donde dice: "De la boca de niñitos Dios sacará alabanza?"' Así que los niños siguen alabando al rey dado por Dios.

Nosotros queremos ser como esos niños, ¿verdad? Puede ser que algunas personas quieran que dejemos de hablar acerca del reino de Dios. Pero nosotros seguiremos hablándoles a otros sobre las cosas maravillosas que Jesús hará para la gente.

Cuando Jesús estaba en la Tierra no era el tiempo para que él empezara a reinar. ¿Cuándo es ese tiempo? Los discípulos querían saberlo. Leamos de esto ahora.   Mateo 21:1-17; Juan 12:12-16.

ESTE es Jesús en el monte de los Olivos. Los cuatro hombres que están con él son sus apóstoles. Son los hermanos Andrés y Pedro, y los hermanos Santiago y Juan. Ese edificio a la distancia es el templo de Dios en Jerusalén.

Han pasado dos días desde que Jesús entró en Jerusalén sobre el asno. Es martes. Antes en ese día Jesús estuvo en el templo. Allí los sacerdotes trataron de echarle mano para matarlo. Pero temieron, porque a la gente le agrada Jesús.

'¡Culebras e hijos de culebras!' llamó Jesús a aquellos líderes religiosos. Entonces dijo que Dios los castigaría por todas las cosas malas que habían hecho. Después, Jesús subió al monte de los Olivos, y entonces estos cuatro apóstoles empezaron a hacerle preguntas. ¿Sabes qué preguntan?

Los apóstoles están preguntando sobre cosas del futuro. Saben que Jesús le pondrá fin a toda maldad que se hace en la Tierra. Pero quieren saber *cuándo* será esto. ¿Cuándo vendrá de nuevo Jesús para gobernar como Rey?

Jesús sabe que sus seguidores en la Tierra no podrán verlo cuando venga de nuevo. Esto se debe a que él estará en el cielo, y ellos no podrán verlo allí. Por eso, Jesús dice a sus apóstoles algunas cosas que estarán pasando en la Tierra cuando él esté reinando en el cielo. ¿Cuáles son algunas?

Jesús dice que habrá grandes guerras, que muchas personas estarán enfermas y con hambre, que habrá muchos crímenes y grandes terremotos. También dice que las buenas nuevas acerca del reino de Dios se predicarán por toda la Tierra. ¿Hemos visto todo esto en nuestros días? ¡Sí! Podemos estar seguros de que Jesús ahora reina en el cielo. Pronto acabará con la maldad de la Tierra.

Mateo 21:46; 23:1-39; 24:1-14; Marcos 13:3-10.

AHORA es el jueves por la noche, dos días después. Jesús y sus 12 apóstoles han venido a este cuarto superior grande para comer la cena de la Pascua. El que sale es Judas Iscariote. Va a decir a los sacerdotes cómo prender a Jesús.

El día antes, Judas les había hablado y dicho: '¿Qué me darán si les ayudo a atrapar a Jesús?' Le dijeron: 'Treinta monedas de plata.' Ahora Judas va a reunirse con ellos para llevarlos a donde está Jesús. ¡Qué cosa terrible! ¿verdad?

La cena pascual termina. Pero ahora Jesús empieza otra cena especial. Entrega a sus apóstoles un pan y dice: 'Cómanlo, porque esto significa mi cuerpo que es dado por ustedes.' Entonces, un vaso de vino, y dice: 'Bébanlo, porque esto significa mi sangre, que será derramada por ustedes.' La Biblia llama a esta cena 'la cena del Señor.'

Los israelitas comían la Pascua como recuerdo de cuando el ángel de Dios 'pasó' sus casas allá en Egipto, pero mató al primer hijo nacido en las casas de los egipcios. Pero ahora Jesús quiere que sus seguidores lo recuerden a él, y que él murió por ellos. Para eso es esta cena anual.

Después de comer la Cena del Señor, Jesús les dice a sus apóstoles que sean valientes y fuertes en la fe. Finalmente cantan canciones a Dios y salen. Quizás es más de la medianoche ahora. ¿A dónde van?

Mateo 26:14-30; Lucas 22:1-39; Juan, capítulos 13 a 17; 1 Corintios 11:20.

JESÚS EN EL JARDÍN

DESPUES de salir de aquel cuarto, Jesús y sus apóstoles van al jardín de Getsemaní. Han venido aquí muchas veces antes. Jesús ahora les dice que sigan despiertos y oren, y se aleja un poco y, rostro a tierra, se pone a orar.

Más tarde Jesús vuelve a donde están sus apóstoles. ¿Qué crees que están haciendo? ¡Están dormidos! Tres veces Jesús les dice que deben mantenerse despiertos, pero cada vez que vuelve los encuentra durmiendo. '¿Cómo pueden dormir en un tiempo como éste?' dice Jesús la última vez que regresa. 'Ha llegado la hora en que seré entregado a mis enemigos.'

En ese mismo momento se oye el ruido de muchísima gente. ¡Mira! ¡Vienen los hombres con espadas y palos! Y llevan antorchas que les dan luz. Cuando se acercan, alguien sale de la muchedumbre y viene a donde Jesús mismo. Lo besa, como puedes ver aquí. ¡Ese hombre es Judas Iscariote! ¿Por qué besa a Jesús?

Jesús pregunta: 'Judas, ¿me traicionas con un beso?' Sí, el beso es una señal. Hace que los hombres que están con Judas sepan que éste es Jesús, a quien ellos buscan. Por eso, los enemigos de Jesús dan un paso adelante para echarle mano. Pero Pedro no va a dejar que se lleven a Jesús sin pelear. Saca la espada que ha traído y lanza un tajo al hombre que está cerca de él. Le corta la oreja derecha. Pero Jesús ahora le toca la oreja al hombre y lo sana.

Jesús le dice a Pedro: 'Devuelve la espada a su lugar. ¿No crees que puedo pedirle a mi Padre miles de ángeles para que me salven?' ¡Sí, puede! Pero Jesús no le pide a Dios que envíe ángeles, porque sabe que ha llegado el tiempo para que sus enemigos se lo lleven. El deja que hagan eso. Veamos qué le pasa a Jesús ahora.

Mateo 26:36-56; Lucas 22:39-53; Juan 18:1-12.

¡**F**IJATE en la cosa terrible que está pasando! Están matando a Jesús. Cuelga de un madero. Hay clavos metidos en sus manos y pies. ¿Por qué quisiera alguien hacer esto?

Es porque algunas personas lo odian. ¿Sabes tú quiénes son éstas? Una de ellas es el ángel inicuo Satanás el Diablo. El es quien consiguió que Adán y Eva desobedecieran a Jehová. Y es Satanás quien consiguió que los enemigos de Jesús cometieran este terrible crimen.

Aun antes de fijarlo en el madero, los enemigos de Jesús le hacen cosas crueles. ¿Recuerdas que vinieron al jardín de Getsemaní y se lo llevaron? ¿Quiénes eran estos enemigos? Sí, eran los líderes religiosos. Veamos qué pasa después.

Cuando los líderes religiosos se llevan a Jesús, sus apóstoles huyen. Se asustan, y lo dejan solo con sus enemigos. Pero los apóstoles Pedro y Juan no se van muy lejos. Van siguiendo para ver lo que le pasa a Jesús.

Los sacerdotes llevan a Jesús al viejo Anás, quien había sido sumo sacerdote. La muchedumbre no se queda mucho tiempo aquí. Llevan después a Jesús a la casa de Caifás, quien ahora es el sumo sacerdote. Hay muchos líderes religiosos allí.

Aquí en la casa de Caifás hay un juicio. Traen a unos hombres para que mientan acerca de Jesús. Todos los líderes religiosos dicen: 'Hay que darle muerte a Jesús.' Entonces escupen a Jesús en la cara, y le dan puñetazos.

Mientras todo esto pasa, Pedro está afuera en el patio. Es una noche fría, y la gente prende un fuego. Mientras se calientan alrededor del fuego, una sirvienta mira a Pedro y dice: 'Este hombre también estaba con Jesús.'

'¡No, yo no estaba con él!' contesta Pedro.

Tres veces la gente le dice a Pedro que él estaba con Jesús. Pero cada vez Pedro dice que no. La tercera vez que Pedro dice esto, Jesús se vuelve y lo mira. Pedro se siente muy triste por haber mentido, y se va y se echa a llorar.

Al salir el Sol el viernes por la mañana, los sacerdotes llevan a Jesús a su gran lugar de reunión, la sala del Sanedrín. Aquí consideran lo que van a hacer con él. Lo llevan a Poncio Pilato, gobernador del distrito de Judea.

'Este es un hombre malo,' le dicen a Pilato. 'Hay que matarlo.' Pilato, después de hacer preguntas a Jesús, dice: 'Yo no veo que él haya hecho algo malo.' Entonces Pilato hace que lleven a Jesús a Herodes Antipas, el gobernante de Galilea, quien se halla en Jerusalén. Este tampoco ve que Jesús haya hecho algo malo, y lo devuelve a Pilato.

Pilato quiere dejar ir a Jesús. Pero los enemigos de Jesús quieren que Pilato deje ir a otro prisionero, a Barrabás el asaltador. Ahora es casi el mediodía cuando Pilato saca a Jesús afuera. Pilato le dice a la gente: '¡Miren! ¡Su rey!' Pero los sacerdotes principales gritan: '¡Quítalo! ¡Mátalo!' Así, Barrabás sale libre, y a Jesús se lo llevan para matarlo.

Temprano en la tarde del viernes lo fijan en un madero. En la lámina no los puedes ver, pero a cada lado de Jesús también ponen a un criminal en un madero para que muera. Poco antes de la muerte de Jesús, uno de los criminales dice: 'Acuérdate de mí cuando entres en tu reino.' Y Jesús contesta: 'Te prometo que estarás conmigo en el Paraíso.'

¡Qué maravillosa promesa! ¿verdad? ¿Sabes de qué paraíso está hablando Jesús? ¿Dónde estaba el paraíso que Dios hizo al principio? Sí, en la Tierra. Y cuando Jesús reine en el cielo, resucitará a este hombre para que goce del nuevo Paraíso en la Tierra. ¿Verdad que eso es muy bueno?

Mateo 26:57-75; 27:1-50; Lucas 22:54-71; 23:1-49; Juan 18:12-40; 19:1-30.

Resurrección de Jesús a aprisionamiento de Pablo

Al tercer día después de su muerte, Jesús fue resucitado. Ese día se apareció a sus seguidores cinco diferentes veces. Siguió apareciéndoseles por 40 días. Entonces, mientras algunos de sus discípulos observaban, ascendió al cielo. Diez días después Dios derramó espíritu santo sobre los seguidores de Jesús que esperaban en Jerusalén.

Más tarde, enemigos de Dios hicieron que los apóstoles fueran echados en prisión, pero un ángel los libró. El discípulo Esteban murió apedreado por los opositores. Pero aprendemos que Jesús escogió a uno de éstos como siervo especial suyo, y éste llegó a ser el apóstol Pablo. Entonces, tres años y medio después de la muerte de Jesús, Dios envió al apóstol Pedro a predicarle a Cornelio, que no era judío, y a su casa.

Unos 13 años después Pablo empezó su primer viaje de predicación. En el segundo, Timoteo lo acompañó. Para Pablo y sus compañeros de viaje hubo muchas emocionantes experiencias mientras servían a Dios. Después, Pablo estuvo en prisión en Roma. En dos años quedó libre, pero después volvió a la prisión y lo mataron. La PARTE 7 cubre unos 32 años.

JESÚS ESTÁ VIVO

¿SABES quién es la mujer y quiénes son los dos hombres? La mujer es María Magdalena, amiga de Jesús. Y los hombres vestidos de blanco son ángeles. María está mirando dentro de la tumba donde fue puesto el cuerpo de Jesús, ¡pero ahora el cuerpo no está ahí! ¿Quién se lo llevó? Veamos.

Después de la muerte de Jesús, los sacerdotes le dicen a Pilato: 'Cuando Jesús estaba vivo dijo que sería resucitado después de tres días. Por eso, manda que velen la tumba. ¡Así sus discípulos no podrán robarse el cuerpo y decir que ha sido resucitado!' Pilato les dice que envíen soldados.

Pero bien temprano el tercer día después de la muerte de Jesús, un ángel de Jehová se presenta de repente. Hace rodar la piedra que cerraba la tumba. Los soldados se asustan tanto que no se pueden mover. ¡Finalmente, cuando miran dentro de la tumba, el cuerpo no está allí! Algunos soldados entran en la ciudad y hablan a los sacerdotes. ¿Sabes lo que hacen los malos sacerdotes? Les pagan para que mientan. 'Digan que sus discípulos se lo llevaron mientras ustedes dormían,' les dicen.

Mientras tanto, unas amigas de Jesús visitan la tumba. ¡La ven vacía! De repente, dos ángeles en ropa brillante están allí. '¿Por qué buscan a Jesús aquí?' preguntan. 'El ha sido resucitado. Vayan enseguida y díganselo a sus discípulos.' Ellas corren. Pero en el camino un hombre las detiene. ¡Es Jesús! 'Vayan y díganselo a mis discípulos,' dice.

Cuando las mujeres les dicen a los discípulos que Jesús está vivo y que lo han visto, a ellos se les hace difícil creerlo. ¡Pedro y Juan corren a la tumba, pero la tumba está vacía! Cuando ellos se van, María Magdalena se queda atrás. Entonces es que mira adentro y ve a los dos ángeles.

¿Sabes lo que le pasó al cuerpo de Jesús? Dios hizo que desapareciera. Dios no resucitó a Jesús en el cuerpo de carne que tenía. Le dio un nuevo cuerpo de espíritu, como el de los ángeles. Pero para mostrar a los discípulos que está vivo, Jesús puede presentarse en un cuerpo visible.

Mateo 27:62-66; 28:1-15; Lucas 24:1-12; Juan 20:1-12.

DESPUES que Pedro y Juan salen de la tumba donde había estado el cuerpo de Jesús, María queda allí sola. Empieza a llorar. ¡Entonces mira dentro de la tumba y ve dos ángeles! Ellos le preguntan: '¿Por qué lloras?'

María contesta: 'Se han llevado a mi Señor, y no sé dónde lo han puesto.' Entonces se vuelve y ve a un hombre. El le pregunta: '¿A quién buscas?'

María cree que aquel hombre es el jardinero, que quizás se ha llevado el cuerpo de Jesús. Por eso, dice: 'Si tú te lo llevaste, dime dónde lo has puesto.' Pero este hombre es Jesús. Tiene un cuerpo que María no reconoce. Pero cuando él la llama por su nombre, ella sabe que es Jesús. Ella corre a decir a los discípulos: '¡He visto al Señor!'

Después en el día, mientras dos discípulos van a la aldea de Emaus, un hombre se les une. Los discípulos están muy tristes por la muerte de Jesús. Pero mientras caminan, el hombre explica muchas cosas de la Biblia y ellos se sienten mejor. Finalmente, cuando se detienen para comer, los dos discípulos reconocen que este hombre es Jesús. El desaparece, y ellos vuelven a Jerusalén para avisar a los apóstoles.

Mientras eso pasa, Jesús se le aparece también a Pedro. Los otros se emocionan cuando oyen esto. Entonces aquellos dos discípulos van a Jerusalén y encuentran a los apóstoles. Les dicen que Jesús se les apareció en el camino. Y cuando están contando esto, ¿sabes qué cosa sorprendente pasa?

Mira la lámina. Jesús aparece allí mismo en el cuarto, aunque la puerta está cerrada. ¡Qué alegría para los discípulos! ¡Qué día emocionante aquél! ¿Puedes contar las veces que se ha aparecido ahora Jesús? ¿Son cinco?

El apóstol Tomás no está con ellos cuando Jesús aparece. Por eso, los discípulos le dicen: '¡Hemos visto al Señor!' Pero Tomás dice que para creerlo tendrá que verlo él mismo. Bueno, ocho días después los discípulos están otra vez en un cuarto cerrado, y esta vez Tomás está allí. De repente, Jesús aparece allí. Ahora Tomás cree.

Juan 20:11-29; Lucas 24:13-43.

PASAN los días, y Jesús se muestra a los seguidores suyos muchas veces. Una vez, unos 500 discípulos lo ven. Cuando se les aparece, ¿sabes de qué les habla Jesús? Del reino de Dios. Jehová envió a Jesús a la Tierra para enseñar acerca del Reino. Y él sigue haciendo esto hasta después de haber sido levantado de entre los muertos.

¿Recuerdas lo que es el reino de Dios? Es un verdadero gobierno de Dios en el cielo, y Jesús es el Escogido de Dios para ser rey. ¡Como hemos visto, Jesús mostró lo maravilloso que será como rey al alimentar a los hambrientos, sanar a los enfermos, y hasta resucitar a los muertos!

Por eso, cuando Jesús reine en el cielo por mil años, ¿qué pasará en la Tierra? Sí, toda la Tierra será convertida en un lindo paraíso. No habrá más guerras, ni crímenes, ni enfermedades, ni siquiera muerte. Sabemos que será así porque Dios hizo la Tierra para que fuera un paraíso para la gente. Por eso hizo el jardín de Edén. Jesús se encargará de que al fin se haga lo que Dios quiere.

Ha llegado el tiempo en que Jesús ha de volver al cielo. Por 40 días se ha mostrado a los discípulos y ellos saben que él está vivo. Pero antes de irse él les dice: 'Quédense en Jerusalén hasta recibir espíritu santo.' Esto es la fuerza activa de Dios, como viento que sopla, que ayudará a sus seguidores a hacer la voluntad de Dios. Finalmente, Jesús dice: 'Ustedes predicarán acerca de mí hasta lo más lejos de la Tierra.'

Después que él dice esto, pasa algo sorprendente. El empieza a subir al cielo, como puedes ver aquí. Luego una nube lo oculta, y los discípulos no lo ven más. Jesús se va al cielo, y empieza a gobernar desde allá a sus seguidores acá en la Tierra.

1 Corintios 15:3-8; Revelación 21:3, 4; Hechos 1:1-11.

ESPERAN EN JERUSALÉN 105

ESTAS personas son seguidores de Jesús. Le han obedecido y se han quedado en Jerusalén. Y mientras todos esperan juntos, un gran ruido llena toda la casa. Es como un viento fuerte que pasa rápido. Y ahora empiezan a aparecer lenguas de fuego sobre la cabeza de cada uno de ellos. ¿Puedes ver el fuego sobre cada discípulo? ¿Qué significa esto?

¡Es un milagro! Jesús está en el cielo con su Padre otra vez, y está derramando el espíritu santo de Dios sobre sus seguidores. ¿Sabes lo que el espíritu hace que ellos hagan? Todos empiezan a hablar en idiomas diferentes.

Mucha gente de Jerusalén oye el ruido que es como un viento fuerte, y vienen a ver lo que pasa. Algunas de las personas han venido de otras naciones para celebrar la fiesta israelita del Pentecostés. ¡Qué sorpresa se llevan estos visitantes! Pues los discípulos hablan en sus propios idiomas acerca de las cosas maravillosas que Dios ha hecho.

'Todas estas personas son de Galilea,' dicen los que están visitando. 'Entonces, ¿cómo pueden hablar en estos diferentes idiomas de los países de los cuales venimos?'

Pedro ahora se pone de pie para explicarles. Levanta la voz y cuenta a la gente cómo se había dado muerte a Jesús, y que Jehová lo ha resucitado. 'Ahora Jesús está en el cielo a la diestra de Dios,' dice Pedro. 'Y él ha derramado el espíritu santo prometido. A eso se deben estos milagros.'

Bueno, cuando Pedro dice estas cosas, a muchas de aquellas personas les pesa mucho lo que se le hizo a Jesús. '¿Qué debemos hacer?' preguntan. Pedro les dice: 'Tienen que cambiar su vida y bautizarse.' Aquel mismo día unos 3.000 se bautizan y se hacen seguidores de Jesús. Hechos 2:1-47.

MIRA al ángel que mantiene abierta la puerta de la prisión. Está librando a los apóstoles de Jesús. Veamos por qué estaban en la prisión.

Había pasado poco tiempo desde que el espíritu santo había sido derramado sobre los discípulos de Jesús. Y esto es lo que pasa: Pedro y Juan van al templo de Jerusalén una tarde. Allí, cerca de la puerta, hay un hombre que ha estado inválido toda su vida. La gente lo lleva allí cada día para que pida dinero a los que entran en el templo. Cuando ve a Pedro y Juan, les pide algo. ¿Qué harán ellos?

Se detienen y lo miran. 'No tengo dinero,' dice Pedro, 'pero te daré lo que tengo. ¡En el nombre de Jesús, levántate y anda!' Pedro entonces toma al hombre por la mano derecha,

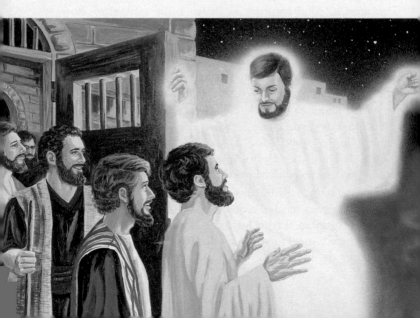

y él enseguida se pone de pie de un salto y empieza a andar. El maravilloso milagro sorprende y alegra a la gente.

'Es por el poder de Dios, quien resucitó a Jesús, que hicimos este milagro,' dice Pedro. Mientras él y Juan hablan, unos líderes religiosos vienen. Están enojados porque Pedro y Juan le dicen a la gente que Jesús fue resucitado. Así que les echan mano y los meten en prisión.

El día siguiente los líderes religiosos tienen una gran reunión. Traen ante ellos a Pedro y Juan y al hombre sanado por éstos. '¿Por qué poder hicieron esto?' se les pregunta.

Pedro dice que es por el poder de Dios, quien ha resucitado a Jesús. Los sacerdotes no saben qué hacer, porque no pueden negar que este milagro maravilloso ha sucedido. Por eso, les advierten a los apóstoles que no hablen más acerca de Jesús, y los dejan ir.

Pasan los días, y los apóstoles siguen predicando acerca de Jesús y sanando a los enfermos. Las noticias sobre estos milagros se esparcen. Y por eso hasta muchedumbres de los pueblos que están alrededor de Jerusalén traen enfermos para que los apóstoles los sanen. Por esto, los líderes religiosos, con envidia, apresan a los apóstoles. Pero algo pasa entonces.

Durante la noche, el ángel de Dios abre la puerta de la prisión, como puedes ver aquí. El ángel dice: 'Vayan y párense en el templo y sigan hablando a la gente.' A la mañana siguiente, cuando los líderes religiosos envían a traer a los apóstoles, no se les encuentra. Después los encuentran en el templo y los llevan a la sala del Sanedrín.

'Les ordenamos no enseñar más acerca de Jesús,' dicen los líderes religiosos. 'Pero ustedes han llenado a Jerusalén de su enseñanza.' Los apóstoles dicen: 'Tenemos que obedecer a Dios como gobernante más bien que a los hombres.' Y siguen predicando. ¡Qué buen ejemplo!

Hechos, capítulos 3 a 5.

ESTEBAN APEDREADO

ESE hombre arrodillado es Esteban. Es un discípulo fiel de Jesús. ¡Pero mira lo que le está pasando! Estos hombres le lanzan piedras grandes. ¿Por qué odian tanto a Esteban que le hacen esto? Veamos.

Dios ha estado ayudando a Esteban a hacer maravillosos milagros. A estos hombres no les gusta esto, y discuten con él por enseñarle la verdad a la gente. Pero Dios le da gran sabiduría a Esteban, y él muestra que estos hombres han enseñado mentiras. Esto los enoja más, así que le echan mano y llaman a unas personas para que digan mentiras de él.

El sumo sacerdote le pregunta: '¿Es verdad lo que dicen?' Esteban contesta con un buen discurso de la Biblia. Al fin de él dice que hombres malos odiaron a los profetas de Dios mucho tiempo antes. Añade: 'Ustedes son iguales. Mataron a Jesús, siervo de Dios, y no han obedecido las leyes de Dios.'

¡Esto enoja mucho a los líderes religiosos! Por su ira, crujen los dientes. Pero cuando Esteban levanta la cabeza y dice: '¡Miren! Veo a Jesús de pie al lado derecho de Dios en el cielo,' estos hombres se tapan los oídos y atacan a Esteban. Lo arrastran hasta fuera de la ciudad.

Aquí se quitan sus mantos y se los dan al joven Saulo para que los cuide. ¿Ves a Saulo? Entonces unos hombres empiezan a apedrear a Esteban. El se arrodilla, como puedes ver, y ora a Dios: 'Jehová, no los castigues por esta cosa mala.' El sabe que algunos de ellos han sido engañados por los líderes religiosos. Después de eso Esteban muere.

Cuando alguien te hace algo malo, ¿tratas de desquitarte, o le pides a Dios que les haga daño? Ni Esteban ni Jesús hicieron eso. Ellos fueron buenos hasta con los que fueron crueles con ellos. Tratemos de copiar eso.

Hechos 6:8-15; 7:1-60.

CAMINO A DAMASCO

¿SABES quién es el que está acostado en el suelo? Es Saulo. El cuidó los mantos de los que apedrearon a Esteban. ¡Mira esa luz brillante! ¿Qué está pasando?

Después de la muerte de Esteban, Saulo va buscando a los seguidores de Jesús para causarles daño. Se mete en las casas y los saca y los mete en prisión. Muchos de los discípulos huyen a otras ciudades y declaran las "buenas nuevas" allí. Pero Saulo va a otras ciudades a buscar a los seguidores de Jesús.

Ahora va a Damasco. Pero, en el camino, esta cosa sorprendente pasa:

De repente, una luz del cielo rodea a Saulo. El cae al suelo, como vemos aquí. Entonces una voz dice:

'¡Saulo, Saulo! ¿Por qué me haces mal?' Los hombres que están con Saulo ven la luz y oyen el sonido de la voz, pero no pueden entender qué se dice.

'¿Quién eres, Señor?' dice Saulo.

'Soy Jesús, a quien haces mal,' dice la voz. Jesús dice esto porque cuando Saulo hace mal a los seguidores de Jesús, Jesús lo siente como si se le hiciera a él.

Saulo ahora pregunta: '¿Qué debo hacer, Señor?'

'Levántate y entra en Damasco,' dice Jesús. 'Allí se te dirá qué hacer.' Cuando Saulo se levanta y abre los ojos, no puede ver nada. ¡Está ciego! Por eso, los hombres que están con él lo llevan de la mano a Damasco.

Jesús ahora le habla a un discípulo en Damasco y le dice: 'Levántate, Ananías. Ve a la calle llamada Recta. En la casa de Judas pregunta por un hombre llamado Saulo. Lo he escogido para que sea siervo especial mío.'

Ananías obedece. Cuando ve a Saulo, le pone las manos encima y dice: 'El Señor me ha enviado para que veas otra vez y seas lleno de espíritu santo.' Enseguida algo que parece escamas cae de los ojos de Saulo, y puede ver de nuevo.

Saulo resulta muy útil en predicar a personas de muchas naciones. Se le llega a conocer como el apóstol Pablo, y de él aprenderemos mucho más. Pero primero veamos lo que Dios hace que Pedro haga. Hechos 8:1-4; 9:1-20; 22:6-16; 26:8-20.

AQUI está el apóstol Pedro de pie, y detrás de él están unos amigos. Pero, ¿por qué se inclina ese hombre ante Pedro? ¿Debe hacer eso? ¿Sabes quién es?

El hombre es Cornelio. Es un oficial del ejército de Roma. Cornelio no conoce a Pedro, pero se le dijo que lo invitara a su casa. Vamos a ver cómo pasó esto.

Los primeros seguidores de Jesús eran judíos, pero Cornelio no es judío. Sin embargo, él ama a Dios, le ora, y hace muchas buenas cosas para la gente. Pues bien, una tarde un ángel se le aparece y le dice: 'Le agradas a Dios, y él va a contestar tus oraciones. Envía a buscar a un hombre llamado Pedro. Está en Jope, en la casa de Simón, que vive cerca del mar.'

Bueno, enseguida Cornelio hace eso. El día siguiente, Pedro está en el techo plano de la casa de Simón. Allí Dios hace que Pedro piense que ve una tela grande que baja del cielo. En ella hay animales de toda clase. Según la ley de Dios, estos animales no eran limpios para comerlos, pero una voz dice: 'Levántate, Pedro. Mata y come.'

'¡No!' contesta Pedro. 'Nunca he comido lo que no es limpio.' Pero la voz le dice: 'Deja de llamar no limpio lo que Dios ahora dice que es limpio.' Esto pasa tres veces. Mientras Pedro se pregunta qué quiere decir esto, llegan a la casa los hombres que Cornelio envió para buscarlo.

Pedro baja y dice: 'Yo soy el hombre que buscan. ¿Por qué han venido?' Cuando los hombres explican que un ángel le dijo a Cornelio que invitara a Pedro a su casa, Pedro dice que irá con ellos. El día siguiente, Pedro y unos amigos salen para visitar a Cornelio en Cesarea.

Cornelio ha reunido a sus parientes y amigos íntimos. Cuando Pedro llega, Cornelio se inclina a los pies de Pedro, como ves. Pero Pedro dice: 'Levántate; yo mismo soy solo un hombre.' Sí, la Biblia muestra que es incorrecto inclinarse en adoración a un hombre. Debemos adorar solo a Jehová.

Pedro ahora predica a los presentes. 'Veo que Dios acepta a toda la gente que desea servirle,' dice Pedro. Y mientras él habla, Dios envía su espíritu santo, y aquellas personas empiezan a hablar en lenguajes diferentes. Esto sorprende a los discípulos judíos que han venido con Pedro, que creían que Dios favorecía solo a judíos. Esto les enseña que Dios no ve a una raza como mejor o más importante que otra. ¿Verdad que es bueno que todos recordemos eso? Hechos 10:1-48; 11:1-18; Revelación 19:10.

TIMOTEO AYUDANTE DE PABLO

EL JOVEN que ves aquí con el apóstol Pablo es Timoteo. Timoteo vive con su familia en Listra. Su madre se llama Eunice y su abuela Loida.

Esta es la tercera vez que Pablo ha visitado a Listra. Hace como un año Pablo y Bernabé estuvieron aquí por primera vez, predicando. Ahora Pablo ha vuelto con su amigo Silas.

¿Sabes lo que Pablo le dice a Timoteo? '¿Te gustaría venir con Silas y conmigo?' pregunta. 'Podrías ayudarnos a predicar a la gente en lugares lejanos.'

'Sí,' contesta Timoteo, 'me gustaría ir.' Por eso, poco después Timoteo deja a su familia y se va con Pablo y Silas. Pero antes de que aprendamos algo acerca de su viaje, veamos qué le ha estado pasando a Pablo. Ya han pasado 17 años desde que Jesús se le apareció en el camino a Damasco.

¡Recuerda, Pablo vino a Damasco para causar daño a los discípulos de Jesús, pero ahora él mismo es discípulo! Más tarde, unos enemigos buscan matar a Pablo, pero los discípulos le ayudan a escapar. En un cesto, lo bajan por el muro de la ciudad y así lo ponen fuera.

Después, Pablo pasa a Antioquía para predicar. Aquí por primera vez se llama cristianos a los discípulos. Luego Pablo y Bernabé son enviados en un viaje desde

Antioquía para predicar en países lejanos. Una de las ciudades que visitan es Listra, donde vive Timoteo.

Ahora, más o menos un año después, Pablo ha vuelto a Listra en un segundo viaje. Cuando Timoteo sale con Pablo y Silas, ¿sabes a dónde van? Mira el mapa, y aprendamos.

Primero, van a Iconio, que está cerca, entonces a una segunda ciudad llamada Antioquía. Después viajan a Troas, entonces pasan a Filipos, Tesalónica y Berea. ¿Ves a Atenas en el mapa? Pablo predica allí. Después, pasan año y medio predicando en Corinto. Finalmente se detienen por poco tiempo en Efeso. Entonces regresan por barco a Cesarea, y suben a Antioquía, donde Pablo se aloja.

Así que Timoteo viaja cientos y cientos de kilómetros ayudando a Pablo a predicar las "buenas nuevas" y empezar muchas congregaciones. Cuando tú crezcas, ¿serás siervo fiel de Dios como Timoteo? Hechos 9:19-30; 11:19-26; capítulos 13 a 17; 18:1-22.

UN NIÑO QUE SE DURMIÓ

¡A Y, MIRA! ¿Qué está pasando aquí? ¿Se habrá hecho mucho daño el niño que está en el suelo? ¡Mira, uno de los hombres que sale de la casa es Pablo! ¿Puedes ver a Timoteo ahí también? ¿Se habrá caído de la ventana el muchacho?

Sí, eso mismo ha pasado. Pablo estaba dando un discurso a los discípulos aquí en Troas. El sabía que no los vería de nuevo por mucho tiempo porque tenía que irse en un barco el día siguiente. Así que siguió hablando hasta la medianoche.

Bueno, este muchacho, que se llamaba Eutico, estaba sentado en la ventana, y se quedó dormido. ¡Se cayó por la ventana hasta tres pisos abajo! Así es que puedes ver por qué la gente se ve tan preocupada. Cuando los hombres levantan al niño, ven que ha pasado lo que temen. ¡Está muerto!

Cuando Pablo ve que el niño está muerto, se acuesta sobre él y lo abraza. Entonces dice: 'No se preocupen. ¡El está bien!' ¡Y es verdad! ¡Es un milagro! ¡Pablo lo ha resucitado! Una ola de gozo pasa por la muchedumbre.

Todos suben otra vez y tienen una comida. Pablo sigue hablando hasta que amanece. ¡Pero podemos estar seguros de que Eutico no se duerme otra vez! Entonces Pablo, Timoteo y los que los acompañan suben al barco. ¿Sabes a dónde van ellos?

Pablo está terminando su tercer viaje de predicación. En tan solo la ciudad de Efeso había pasado tres años en este viaje. Por eso, éste es aún más largo que el segundo.

Después de salir de Troas, el barco se detiene un tiempo en Mileto. Puesto que Efeso está a pocos kilómetros, Pablo llama a los hombres de más edad de la congregación de Efeso a Mileto para hablarles por última vez. Después, cuando el barco ya se va, ¡cómo los entristece ver a Pablo irse!

Por fin el barco vuelve a Cesarea. Mientras Pablo se queda aquí en la casa del discípulo Felipe, el profeta Agabo dice que cuando Pablo llegue a Jerusalén lo pondrán en prisión. Y eso mismo pasa, tal como Agabo dice. Y tras de dos años de prisión en Cesarea, envían a Pablo a Roma para ser juzgado por César, el gobernante romano. Vamos a ver qué pasa en el viaje a Roma.

Hechos, capítulos 19 a 26.

A SALVO EN UNA ISLA

¡MIRA, el barco se hunde! ¡Se está desbaratando! ¿Ves a la gente que ha saltado al agua? Algunos ya están llegando a la playa. ¿Está Pablo allí? Veamos que le ha estado sucediendo.

Recuerda, por dos años tienen a Pablo prisionero en Cesarea. Entonces ponen a Pablo y otros prisioneros en un barco para Roma. Cerca de la isla de Creta, una terrible tormenta los azota. Los hombres no pueden guiar el barco. Y no pueden ver el Sol durante el día ni las estrellas de noche. Finalmente, después de muchos días, los viajeros pierden toda esperanza de ser salvos.

Entonces Pablo se levanta y dice: 'Ninguno de ustedes perderá su vida; solo el barco se perderá. Porque anoche un ángel de Dios vino a mí y me dijo: "¡No temas, Pablo! Tienes que llegar a estar delante de César el gobernante romano. Y Dios salvará a todos los que viajan contigo."'

¡Para la medianoche del día 14 desde el principio de la tormenta, los marineros notan que el agua no es tan profunda! Temiendo estrellarse contra unas rocas en la oscuridad, echan las anclas. La mañana siguiente ven una bahía. Deciden tratar de guiar el barco hasta la playa allí.

Pues bien, cuando se acercan a la playa, el barco da contra un banco de arena y encalla. Entonces las olas empiezan a azotarlo, y el barco empieza a hacerse pedazos. El encargado, un oficial militar, dice: 'Todos los que puedan nadar, naden a la playa; los demás salten después, y usen pedazos del barco para flotar.' Eso hacen, y las 276 personas que estaban en el barco llegan a salvo a la playa, tal como el ángel había prometido.

La isla se llama Malta. La gente es muy bondadosa, y ayuda a los que han venido del barco. Cuando el tiempo mejora, a Pablo lo ponen en otro barco y lo llevan a Roma.

Hechos 27:1-44; 28:1-14.

NOTA las cadenas que Pablo lleva, y fíjate en el soldado romano que lo vigila. Pablo es prisionero en Roma. Está esperando hasta que el César romano decida qué hacer con él. Mientras está en prisión, se le permite tener visitantes.

Tres días después de llegar a Roma, Pablo pide que algunos líderes judíos vengan a verlo. Por esto, muchos judíos de Roma vienen. Pablo les predica acerca de Jesús y el reino de Dios. Algunos creen y se hacen cristianos, pero otros no creen.

Pablo también predica a diferentes soldados que lo vigilan. Durante los dos años en que se le tiene aquí como prisionero, Pablo predica a todo el que puede. Debido a esto, hasta la casa de César oye acerca de las buenas nuevas del Reino, y algunos de ellos se hacen cristianos.

Pero, ¿quién es este visitante a la mesa, y escribiendo? ¿Sabes quién es? Sí, es Timoteo. El también había estado en prisión por predicar acerca del Reino, pero ahora está libre. Ha venido a ayudar a Pablo. ¿Sabes qué escribe? Veamos.

¿Recuerdas las ciudades de Filipos y Efeso en la Historia 110? Pablo ayudó a empezar congregaciones cristianas allí. Ahora, como prisionero, Pablo escribe cartas a estos cristianos. Las cartas, llamadas Efesios y Filipenses, están en la Biblia. Pablo ahora le dice a Timoteo qué escribir a los amigos cristianos de ellos en Filipos.

Los filipenses han sido muy bondadosos con Pablo. Le envían un regalo a la prisión, y por eso Pablo les está dando gracias. Epafrodito es el hombre que trajo el regalo. Pero él estuvo muy enfermo y casi murió. Ahora está bien otra vez y pronto regresará a su ciudad. El llevará esta carta de Pablo y Timoteo consigo cuando vuelva a Filipos.

En prisión, Pablo escribe otras dos cartas que tenemos en la Biblia. Una es para los cristianos de la ciudad de Colosas. ¿Sabes cómo se llama? Colosenses. La otra es una carta personal a un amigo llamado Filemón, de Colosas. La carta es acerca de Onésimo, un sirviente de Filemón.

Onésimo se escapó de Filemón y vino a Roma. De alguna manera Onésimo supo que Pablo estaba en prisión aquí. Lo visitó, y Pablo le predicó. Pronto Onésimo también se hizo cristiano. Ahora a Onésimo le pesa haber huido. Por eso, ¿sabes lo que Pablo escribe en esta carta a Filemón?

Pablo le pide a Filemón que perdone a Onésimo. 'Te lo devuelvo,' escribe Pablo. 'Pero ahora no es solo tu siervo. También es un buen hermano cristiano.' Cuando Onésimo vuelve a Colosas, lleva consigo estas dos cartas, una a los colosenses y la otra a Filemón. ¡Imagínate qué contento debe haber estado Filemón al llegar a saber que su sirviente, Onésimo, ahora es cristiano, como él!

Cuando Pablo escribe a los filipenses y a Filemón, tiene muy buenas noticias. 'Les envío a Timoteo,' dice Pablo a los filipenses. 'Pero pronto los visitaré yo también.' Y, a Filemón, escribe: 'Prepárame un lugar para alojarme allí.'

Cuando se ve libre, Pablo visita a sus hermanos cristianos de muchos lugares. Pero más tarde Pablo se halla prisionero en Roma de nuevo. Ahora sabe que lo van a matar. Por eso, escribe a Timoteo que venga pronto. 'He sido fiel a Dios,' escribe, 'y él me recompensará.' Pocos años después de morir Pablo, Jerusalén es destruida de nuevo, ahora por romanos.

Pero en la Biblia hay más. Jehová hace que el apóstol Juan escriba sus últimos libros, entre ellos Revelación. Ese libro habla del futuro. Vamos a ver lo que el futuro guarda.

Hechos 28:16-31; Filipenses 1:13; 2:19-30; 4:18-23; Hebreos 13:23; Filemón 1-25; Colosenses 4:7-9; 2 Timoteo 4:7-9.

Lo que la Biblia predice
se cumple

La Biblia no solo da la historia verdadera de lo que sucedió en el pasado, sino que también dice lo que sucederá en el futuro. Los seres humanos no pueden decir lo que hay en el futuro. Por eso sabemos que la Biblia viene de Dios. ¿Qué dice la Biblia acerca del futuro?

Habla acerca de una gran guerra de Dios. En esta guerra Dios limpiará la Tierra de toda la maldad y de la gente mala, pero protegerá a los que le sirven. Jesucristo, el rey nombrado por Dios, se encargará de que los siervos de Dios disfruten de paz y felicidad, y de que nunca más estén enfermos o se mueran.

¿Verdad que podemos alegrarnos de que Dios haya de hacer un nuevo paraíso en la Tierra? Pero tenemos que hacer algo si queremos vivir en este paraíso. En la última historia del libro aprendemos lo que tenemos que hacer para disfrutar de las cosas maravillosas que Dios tiene para los que le sirven. Por eso, lee la PARTE 8 y averigua lo que la Biblia predice para el futuro.

EL FIN DE TODA MALDAD

¿QUE ves aquí? Sí, un ejército en caballos blancos. Pero nota de dónde vienen. ¡Los caballos bajan al galope del cielo sobre las nubes! ¿Habrá caballos en el cielo?

No, éstos no son caballos verdaderos. Lo sabemos porque los caballos no pueden correr sobre las nubes, ¿verdad? Pero la Biblia sí habla de caballos en el cielo. ¿Sabes por qué?

Es porque hubo un tiempo en que los caballos se usaban mucho en pelear las guerras. Así que la Biblia dice que unas personas bajan del cielo en caballos para mostrar que Dios tiene una guerra contra la gente de la Tierra. ¿Dónde será? En Armagedón, y destruirá toda la maldad de la Tierra.

Jesús es Quien guiará la pelea en esta guerra en Armagedón. Recuerda que Jehová escogió a Jesús para que sea rey de Su gobierno. Por eso Jesús lleva corona. Y la espada muestra que va a matar a todos los enemigos de Dios. ¿Debe causarnos sorpresa que Dios destruya a toda la gente mala?

Busca la Historia 10. ¿Qué ves? Sí, el gran Diluvio que destruyó a la gente mala. ¿Quién causó ese Diluvio? Jehová Dios. Ahora mira la Historia 15. ¿Qué está pasando ahí? Jehová destruye por fuego a Sodoma y Gomorra.

Pasa a la Historia 33. Mira lo que les está pasando a los caballos y carros de guerra de los egipcios. ¿Quién hizo que las aguas les cayeran encima? Jehová. Lo hizo para proteger a su pueblo. Busca la Historia 76. Allí verás que Jehová hasta dejó que su pueblo fuera destruido por malo.

Por eso, no debería sorprendernos el que Jehová envíe sus ejércitos celestiales para poner fin a toda la maldad de la Tierra. ¿Qué pasará después? Pasa la página y veamos.

Revelación 16:16; 19:11-16.

MIRA los árboles altos, las bonitas flores y las altas montañas. ¿Verdad que esto es lindo? Fíjate, el ciervo come de la mano del niñito. Y nota a los leones y el caballo parados allí en el prado. ¿Te gustaría vivir en una casa o en un lugar como éste?

Dios quiere que tú vivas para siempre en la Tierra en un paraíso, sin sufrir los dolores que la gente sufre hoy. Eso promete la Biblia a los que vivirán en el nuevo paraíso. 'Dios estará con ellos. No habrá más muerte ni llanto ni dolor. Las cosas viejas han pasado.'

Jesús se encargará de que este maravilloso cambio venga. ¿Sabes cuándo? Sí, después que limpie la Tierra de toda la maldad y de toda la gente mala. Recuerda, cuando Jesús estuvo en la Tierra sanó de toda enfermedad a la gente, y hasta resucitó a algunos. Así mostró lo que haría en toda la Tierra como Rey del reino de Dios.

¡Imagínate lo bueno que será estar en el nuevo paraíso! Jesús, y algunos que él escoge, gobernarán en el cielo. Atenderán a todo el que esté en la Tierra y se encargarán de que todos sean felices. Vamos a ver qué debemos hacer para que Dios nos dé vida eterna en su nuevo paraíso.

Revelación 21:3, 4; 5:9, 10; 14:1-3.

¿**S**ABES lo que esta niñita y sus amigos leen? Sí, este mismo libro que tú estás leyendo... *Mi libro de historias bíblicas.* Y están leyendo esta misma historia... "Cómo vivir para siempre."

¿Sabes lo que aprenden? Primero, que hay que aprender acerca de Jehová y su Hijo Jesús para vivir para siempre. La Biblia dice: 'Este es el camino a la vida eterna. Aprende acerca del único Dios verdadero, y de su Hijo, Jesucristo.'

¿Cómo podemos aprender acerca de Jehová Dios y su Hijo Jesús? Una manera es leyendo *Mi libro de historias bíblicas* de principio a fin. El libro dice mucho acerca de Jehová y Jesús, ¿verdad? Y dice mucho acerca de las cosas que ellos han hecho y harán. Pero hay que leer otra cosa.

¿Ves el otro libro que está en el suelo? Es la Biblia. Haz que alguien te lea las partes de la Biblia sobre las cuales se basan las historias de este libro. La Biblia nos da la información completa que necesitamos para servir a Jehová de la manera correcta y ganar vida eterna. Por eso debemos tener el hábito de estudiar mucho la Biblia.

Pero el solo aprender acerca de Jehová Dios y Jesucristo no basta. Pudiéramos saber mucho acerca de ellos y lo que enseñan, y todavía no ganar la vida eterna. ¿Sabes qué más se necesita?

También tenemos que vivir en armonía con las cosas que aprendemos. ¿Te acuerdas de Judas Iscariote? El era uno de los 12 que Jesús escogió como apóstoles. Judas tenía mucho conocimiento acerca de Jehová y Jesús. Pero, ¿qué le pasó? Con el tiempo se hizo egoísta y traicionó a Jesús por 30 piezas de plata. Judas no recibirá vida eterna.

¿Te acuerdas de Guejazi, de quien aprendimos algo en la Historia 69? El quiso tener ropa y dinero que no eran de él. Mintió para tener estas cosas, y Jehová lo castigó. Nos castigará a nosotros también si no obedecemos sus leyes.

Pero hay muchas buenas personas que siempre sirvieron a Jehová fielmente. Queremos ser como ellas, ¿verdad? El pequeño Samuel es un buen ejemplo. Recuerda, como vimos en la Historia 55, él tenía solo cuatro o cinco años cuando empezó a servir a Jehová en su tabernáculo. Por eso, aunque seas bien joven, no eres demasiado joven para servir a Dios.

Claro, todos queremos seguir a Jesucristo. Hasta cuando niño, como muestra la Historia 87, estaba allí en el templo hablando a otros acerca de su Padre celestial. Sigamos su ejemplo. Hablemos a cuantas personas podamos acerca de nuestro Dios maravilloso, Jehová, y su Hijo, Jesucristo. Si hacemos todo esto, podremos vivir para siempre en el nuevo paraíso de Dios en la Tierra.   Juan 17:3; Salmo 145:1-21.

Preguntas de estudio
para *Mi libro de historias bíblicas*

Dios empieza las cosas

1. ¿De dónde nos ha venido todo lo bueno? ¿Puedes poner un ejemplo?
2. ¿Qué fue lo primero que Dios creó?
3. ¿Por qué era especial el primer ángel?
4. Explica cómo era la Tierra al principio (mira la lámina).
5. ¿Cómo empezó Dios a preparar la Tierra para los animales y las personas?

Preguntas adicionales:

1. *Leer Jeremías 10:12.*
¿Qué cualidades de Dios se manifiestan en su creación? (Isa. 40:26; Rom. 11:33.)

2. *Leer Colosenses 1:15-17.*
¿Qué función desempeñó Jesús en la creación, y cómo debería este hecho afectar nuestro concepto de él?

3. *Leer Génesis 1:1-10.*
a) ¿Cuál es el origen de la Tierra? (Gén. 1:1.)
b) ¿Qué sucedió en el primer día creativo? (Gén. 1:3-5.)
c) ¿Qué pasó en el segundo día creativo? (Gén. 1:7, 8.)

Un lindo jardín

1. ¿Cómo preparó Dios la Tierra para nosotros?
2. Dios hizo muchos animales. ¿Puedes nombrar algunos? (Mira la lámina.)
3. ¿Por qué era especial el jardín de Edén?
4. ¿Cómo quería Dios que fuera toda la Tierra?

Preguntas adicionales:

1. *Leer Génesis 1:11-25.*
a) ¿Qué hizo Dios en el tercer día creativo? (Gén. 1:12.)

b) ¿Qué pasó el cuarto día creativo? (Gén. 1:16.)

c) ¿Qué animales hizo Dios los días quinto y sexto? (Gén. 1:20, 21, 25.)

2. *Leer Génesis 2:8, 9.*

¿Qué dos árboles especiales puso Dios en el jardín, y qué simbolizaban?

Empieza la humanidad

1. ¿En qué se diferencia la lámina de la historia 3 de la lámina de la historia 2?

2. ¿Quién hizo al primer hombre, y cómo se llamaba?

3. ¿Qué trabajo asignó Dios a Adán?

4. ¿Por qué hizo Dios que Adán se quedara profundamente dormido?

5. ¿Cuánto tiempo podían vivir Adán y Eva, y qué trabajo quería Jehová que hicieran?

Preguntas adicionales:

1. *Leer Salmo 83:18.*

¿Cuál es el nombre de Dios y qué posición exclusiva tiene con respecto a la Tierra? (Jer. 16:21; Dan. 4:17.)

2. *Leer Génesis 1:26-31.*

a) ¿Cuál fue la obra culminante de la creación de Dios en el sexto día, y en qué se diferenciaba esta obra creativa de los animales? (Gén. 1:26.)

b) ¿Qué alimento dio Jehová al hombre y a los animales? (Gén. 1:30.)

3. *Leer Génesis 2:7-25.*

a) ¿Qué implicaba la asignación de Adán de poner nombre a los animales? (Gén. 2:19.)

b) ¿Cómo nos ayuda Génesis 2:24 a entender lo que piensa Jehová del matrimonio, la separación y el divorcio? (Mat. 19:4-6, 9.)

Cómo perdieron su hogar

1. Mira la lámina. ¿Qué está pasando con Adán y Eva?

2. ¿Por qué los castigó Jehová?

3. ¿Qué le dijo una serpiente a Eva?

4. ¿Quién hizo que la serpiente hablara a Eva?

5. ¿Por qué perdieron Adán y Eva su hogar en el Paraíso?

Preguntas adicionales:

1. *Leer Génesis 2:16, 17 y 3:1-13, 24.*

a) ¿Por qué dio una imagen falsa de Jehová la pregunta de la serpiente a Eva? (Gén. 3:1-5; 1 Juan 5:3.)

b) ¿Por qué nos sirve de advertencia el ejemplo de Eva? (Fili. 4:8; Sant. 1:14, 15; 1 Juan 2:16.)

c) ¿Cómo trataron Adán y Eva de evitar la responsabilidad por sus acciones? (Gén. 3:12, 13.)

d) ¿De qué manera defendieron la soberanía de Jehová los querubines apostados al este del jardín de Edén? (Gén. 3:24.)

2. *Leer Revelación 12:9.*

¿Cuánto éxito ha tenido Satanás en poner a la humanidad en contra de la gobernación de Dios? (1 Juan 5:19.)

Historia 5

Empieza una vida dura

1. ¿Cómo era la vida de Adán y Eva fuera del jardín de Edén?

2. ¿Qué empezó a pasarles a Adán y Eva, y por qué?

3. ¿Por qué se harían viejos y morirían los hijos de Adán y Eva?

4. Si Adán y Eva hubieran obedecido a Jehová, ¿cómo habría sido la vida para ellos y sus hijos?

5. ¿De qué forma le causó dolor a Eva su desobediencia?

6. ¿Cómo se llamaban los primeros dos hijos de Adán y Eva?

7. ¿Quiénes son los otros niños de la lámina?

Preguntas adicionales:

1. *Leer Génesis 3:16-23 y 4:1, 2.*

a) ¿Cómo se vio afectada la vida de Adán debido a la maldición sobre el suelo? (Gén. 3:17-19; Rom. 8:20, 22.)

b) ¿Por qué era apropiado el nombre Eva, que significa "viviente"? (Gén. 3:20.)

c) ¿Cómo tuvo consideración Jehová por Adán y Eva incluso después de que pecaron? (Gén. 3:7, 21.)

2. *Leer Revelación 21:3, 4.*

¿Qué "cosas anteriores" quisiéramos ver eliminadas?

Un hijo bueno, y uno malo

1. ¿En qué empiezan a trabajar Caín y Abel?
2. ¿Qué regalos llevan Caín y Abel a Jehová?
3. ¿Por qué le agrada a Jehová el regalo de Abel, y por qué no le agrada el de Caín?
4. ¿Qué clase de persona es Caín, y cómo trata Jehová de corregirlo?
5. ¿Qué hace Caín cuando está a solas con su hermano en el campo?
6. Explica qué le pasó a Caín después de matar a su hermano.

Preguntas adicionales:

1. *Leer Génesis 4:2-26.*

a) ¿Cómo indicó Jehová la peligrosa situación en la que se encontraba Caín? (Gén. 4:7.)

b) ¿Cómo manifestó Caín su actitud de corazón? (Gén. 4:9.)

c) ¿Cómo ve Jehová el derramamiento de sangre inocente? (Gén. 4: 10; Isa. 26:21.)

2. *Leer 1 Juan 3:11, 12.*

a) ¿Por qué se llenó de furia Caín, y cómo nos sirve esto de advertencia en nuestros días? (Gén. 4:4, 5; Pro. 14:30; 28:22.)

b) ¿Cómo muestra la Biblia que, aun en el caso de que toda nuestra familia se oponga a Jehová, podemos conservar nuestra integridad? (Sal. 27:10; Mat. 10:21, 22.)

3. *Leer Juan 11:25.*

¿Qué garantía da Jehová respecto a todos los que mueren por causa de la justicia? (Juan 5:24.)

Un hombre valiente

1. ¿En qué fue diferente Enoc?
2. ¿Por qué hacía muchas cosas malas la gente del tiempo de Enoc?
3. ¿Qué cosas malas hacía la gente? (Mira la lámina.)
4. ¿Por qué tenía que ser valiente Enoc?
5. ¿Cuánto tiempo vivían los hombres en aquel entonces, pero cuánto tiempo vivió Enoc?
6. ¿Qué sucedió después de la muerte de Enoc?

Preguntas adicionales:

1. *Leer Génesis 5:21-24, 27.*

a) ¿Qué relación tuvo Enoc con Jehová? (Gén. 5:24.)

b) Según la Biblia, ¿quién es el hombre que más tiempo ha vivido, y cuántos años tenía cuando murió? (Gén. 5:27.)

2. *Leer Génesis 6:5.*

¿Hasta qué grado empeoraron las condiciones en la Tierra después de la muerte de Enoc, y qué parecido tiene esto con nuestros tiempos? (2 Tim. 3:13.)

3. *Leer Hebreos 11:5.*

¿Qué cualidad de Enoc fue "del buen agrado de Dios", y con qué resultado? (Gén. 5:22.)

4. *Leer Judas 14, 15.*

¿Cómo pueden los cristianos imitar el valor de Enoc al dar advertencia de la venidera batalla de Armagedón? (2 Tim. 4:2; Heb. 13:6.)

Historia 8

Gigantes en la Tierra

1. ¿Qué sucedió cuando algunos ángeles de Dios prestaron atención a Satanás?

2. ¿Por qué dejaron algunos ángeles su trabajo en el cielo y bajaron a la Tierra?

3. ¿Por qué estaba mal que los ángeles vinieran a la Tierra y se hicieran cuerpos humanos?

4. ¿En qué eran diferentes los hijos que tuvieron los ángeles?

5. Como puedes ver en la lámina, ¿qué hicieron los hijos de los ángeles cuando se hicieron gigantes?

6. Después de Enoc, ¿qué hombre bueno vivió en la Tierra, y por qué lo quería Dios?

Preguntas adicionales:

1. *Leer Génesis 6:1-8.*

¿Qué dice Génesis 6:6 sobre el efecto que puede tener nuestra conducta en los sentimientos de Jehová? (Sal. 78:40, 41; Pro. 27:11.)

2. *Leer Judas 6.*

¿De qué modo nos sirven de recordatorio hoy los ángeles que "no guardaron su posición original"? (1 Cor. 3:5-9; 2 Ped. 2:4, 9, 10.)

Noé hace un arca

1. ¿Cuántas personas había en la familia de Noé, y cómo se llamaban sus tres hijos?

2. ¿Qué cosa rara le pidió Dios a Noé que hiciera, y por qué?

3. ¿Cómo reaccionaron los vecinos de Noé cuando él les habló del arca?

4. ¿Qué le dijo Dios a Noé que hiciera con los animales?

5. Después de que Dios cerró la puerta del arca, ¿qué tuvieron que hacer Noé y su familia?

Preguntas adicionales:

1. *Leer Génesis 6:9-22.*

a) ¿Qué hizo de Noé un siervo sobresaliente del Dios verdadero? (Gén. 6:9, 22.)

b) ¿Qué opina Jehová de la violencia, y cómo debe afectar esto nuestra elección de entretenimiento? (Gén. 6:11, 12; Sal. 11:5.)

c) ¿Cómo podemos imitar a Noé cuando recibimos instrucciones mediante la organización de Jehová? (Gén. 6:22; 1 Juan 5:3.)

2. *Leer Génesis 7:1-9.*

¿Cómo nos anima el hecho de que Jehová considerara a Noé un hombre justo, a pesar de que era imperfecto? (Gén. 7:1; Pro. 10:16; Isa. 26:7.)

El gran diluvio

1. ¿Por qué no pudo entrar nadie en el arca cuando comenzó a llover?

2. ¿Cuántos días y cuántas noches hizo llover Jehová, y hasta dónde llegó el agua?

3. ¿Qué ocurrió con el arca cuando el agua empezó a cubrir la Tierra?

4. ¿Sobrevivieron los gigantes al Diluvio? ¿Qué pasó con sus padres?

5. ¿Qué ocurrió con el arca cinco meses después?

6. ¿Por qué dejó Noé que saliera un cuervo del arca?

7. ¿Cómo supo Noé que las aguas habían bajado?

8. ¿Qué dijo Dios a Noé después de que él y su familia habían estado más de un año dentro del arca?

Preguntas adicionales:

1. *Leer Génesis 7:10-24.*

a) ¿Cuánto abarcó la destrucción de la vida en la Tierra? (Gén. 7:23.)

b) ¿Cuánto tiempo tardaron en bajar las aguas del Diluvio? (Gén. 7:24.)

2. *Leer Génesis 8:1-17.*

¿Cómo muestra Génesis 8:17 que el propósito original de Jehová para la Tierra no cambió? (Gén. 1:22.)

3. *Leer 1 Pedro 3:19, 20.*

a) ¿Qué sentencia recibieron los ángeles rebeldes cuando regresaron al cielo? (Jud. 6.)

b) ¿Cómo fortalece el relato de Noé y su familia nuestra confianza en la capacidad de Jehová de librar a su pueblo? (2 Ped. 2:9.)

Historia 11

El primer arco iris

1. Como muestra la lámina, ¿qué fue lo primero que hizo Noé al salir del arca?

2. ¿Qué mandato dio Dios a Noé y su familia después del Diluvio?

3. ¿Qué promesa hizo Dios?

4. Cuando veamos el arco iris, ¿qué debemos recordar?

Preguntas adicionales:

1. *Leer Génesis 8:18-22.*

a) ¿Qué podemos hacer hoy día para que a Jehová le llegue "un olor conducente a descanso"? (Gén. 8:21; Heb. 13:15, 16.)

b) ¿Qué observación hizo Jehová en cuanto a la condición de corazón del hombre, y, por lo tanto, qué cuidado debemos tener? (Gén. 8:21; Mat. 15:18, 19.)

2. *Leer Génesis 9:9-17.*

a) ¿Qué pacto hizo Jehová con todas las criaturas de la Tierra? (Gén. 9:10, 11.)

b) ¿Cuánto tiempo estará en vigor el pacto del arco iris? (Gén. 9:16.)

Historia 12

La gente hace la gran torre

1. ¿Quién era Nemrod, y qué opinaba Dios de él?

2. ¿Por qué están haciendo ladrillos los hombres de la lámina?

3. ¿Por qué no le agradaba a Jehová esta construcción?

4. ¿Cómo detuvo Dios la construcción de la torre?

5. ¿Cómo se llamó la ciudad, y qué significaba ese nombre?

6. ¿Qué hizo la gente después de que Dios confundiera sus lenguajes?

Preguntas adicionales:

1. *Leer Génesis 10:1, 8-10.*
¿Qué características manifestó Nemrod, y qué advertencia nos da la Biblia? (Pro. 3:31.)

2. *Leer Génesis 11:1-9.*
¿Cuál era el motivo de la construcción de la torre, y por qué estaba condenada al fracaso? (Gén. 11:4; Pro. 16:18; Juan 5:44.)

Historia 13

Abrahán... amigo de Dios

1. ¿Qué clase de gente vivía en la ciudad de Ur?

2. ¿Quién es el hombre de la lámina? ¿Cuándo nació? ¿Dónde vivía?

3. ¿Qué le mandó Dios a Abrahán?

4. ¿Por qué se llamó a Abrahán amigo de Dios?

5. ¿Quién acompañó a Abrahán cuando se marchó de Ur?

6. ¿Qué le dijo Dios a Abrahán cuando llegó a la tierra de Canaán?

7. ¿Qué le prometió Dios a Abrahán cuando tenía 99 años?

Preguntas adicionales:

1. *Leer Génesis 11:27-32.*
a) ¿Qué parentesco existía entre Abrahán y Lot? (Gén. 11:27.)
b) Aunque se atribuye a Taré la marcha de su familia hacia Canaán, ¿cómo sabemos que en realidad fue Abrahán quien encabezó el traslado, y por qué lo hizo? (Gén. 11:31; Hech. 7:2-4.)

2. *Leer Génesis 12:1-7.*
¿Cómo amplió Jehová el pacto abrahámico cuando Abrahán llegó a la tierra de Canaán? (Gén. 12:7.)

3. *Leer Génesis 17:1-8, 15-17.*
a) ¿Qué cambio de nombre recibió Abrán cuando tenía 99 años, y por qué? (Gén. 17:5.)
b) ¿Qué futuras bendiciones prometió Jehová a Sara? (Gén. 17: 15, 16.)

4. *Leer Génesis 18:9-19.*

a) En Génesis 18:19, ¿qué obligaciones se exponen para los padres? (Deu. 6:6, 7; Efe. 6:4.)

b) ¿Qué episodio de la vida de Sara muestra que no podemos esconder nada de Jehová? (Gén. 18:12, 15; Sal. 44:21.)

Historia 14

La fe de Abrahán probada

1. ¿Qué promesa hizo Dios a Abrahán, y cómo la cumplió?

2. Como se ve en la lámina, ¿de qué manera probó Dios la fe de Abrahán?

3. ¿Qué hizo Abrahán aunque no entendía el motivo de lo que Dios le mandaba?

4. ¿Qué ocurrió cuando Abrahán sacó el cuchillo para matar a su hijo?

5. ¿Cuánta fe tenía Abrahán en Dios?

6. ¿Qué suministró Dios a Abrahán para hacer el sacrificio, y cómo?

Preguntas adicionales:

1. *Leer Génesis 21:1-7.*

¿Por qué circuncidó Abrahán a su hijo al octavo día? (Gén. 17:10-12; 21:4.)

2. *Leer Génesis 22:1-18.*

¿Cómo demostró Isaac sumisión a su padre Abrahán, y cómo prefiguró esto un suceso futuro de mayor importancia? (Gén. 22:7-9; 1 Cor. 5:7; Fili. 2:8, 9.)

Historia 15

La mujer de Lot miró atrás

1. ¿Por qué se separaron Abrahán y Lot?

2. ¿Por qué decidió Lot vivir en Sodoma?

3. ¿Cómo era la gente de Sodoma?

4. ¿Qué aviso dieron a Lot dos ángeles?

5. ¿Por qué se convirtió la esposa de Lot en una columna de sal?

6. ¿Qué lección aprendemos de lo que le ocurrió a la esposa de Lot?

Preguntas adicionales:

1. *Leer Génesis 13:5-13.*

¿Qué lección aprendemos de Abrahán a la hora de resolver desacuerdos personales? (Gén. 13:8, 9; Rom. 12:10; Fili. 2:3, 4.)

2. *Leer Génesis 18:20-33.*

Al examinar la conversación entre Abrahán y Jehová, ¿por qué podemos estar seguros de que Jehová y Jesús serán justos en su juicio? (Gén. 18:25, 26; Mat. 25:31-33.)

3. *Leer Génesis 19:1-29.*

a) Según muestra este relato bíblico, ¿cómo considera Dios la homosexualidad? (Gén. 19:5, 13; Lev. 20:13.)

b) ¿Qué diferencia encontramos en la forma en que tanto Lot como Abrahán respondieron a la dirección de Dios, y qué aprendemos de ello? (Gén. 19:15, 16, 19, 20; 22:3.)

4. *Leer Lucas 17:28-32.*

¿Qué actitud tenía la esposa de Lot con respecto a los bienes materiales, y cómo nos sirve su caso de advertencia? (Luc. 12:15; 17: 31, 32; Mat. 6:19-21, 25.)

5. *Leer 2 Pedro 2:6-8.*

En imitación de Lot, ¿cuál debe ser nuestra actitud con respecto al mundo impío que nos rodea? (Eze. 9:4; 1 Juan 2:15-17.)

Una buena esposa para Isaac

1. ¿Quiénes son el hombre y la mujer de la lámina?

2. ¿Qué hizo Abrahán para conseguir una esposa para su hijo, y por qué?

3. ¿Cómo se contestó la oración del siervo de Abrahán?

4. ¿Cómo respondió Rebeca cuando se le preguntó si quería casarse con Isaac?

5. ¿Qué hizo feliz a Isaac otra vez?

Preguntas adicionales:

1. *Leer Génesis 24:1-67.*

a) ¿Qué buenas cualidades manifestó Rebeca en su encuentro con el siervo de Abrahán en el pozo? (Gén. 24:17-20; Pro. 31:17, 31.)

b) ¿Qué buen ejemplo para los cristianos de hoy encontramos en lo que hizo Abrahán por Isaac? (Gén. 24:37, 38; 1 Cor. 7:39; 2 Cor. 6:14.)

c) ¿Por qué debemos apartar tiempo para meditar, como hacía Isaac? (Gén. 24:63; Sal. 77:12; Fili. 4:8.)

Gemelos que eran diferentes

1. ¿Quiénes eran Esaú y Jacob, y en qué eran diferentes?

2. ¿Cuántos años tenían Esaú y Jacob cuando murió su abuelo Abrahán?

3. ¿Qué hizo Esaú que puso muy tristes a sus padres?

4. ¿Por qué se enojó tanto Esaú con su hermano Jacob?

5. ¿Qué instrucciones dio Isaac a su hijo Jacob?

Preguntas adicionales:

1. *Leer Génesis 25:5-11, 20-34.*

a) ¿Qué profetizó Jehová con respecto a los dos hijos de Rebeca? (Gén. 25:23.)

b) ¿Qué contraste había entre la actitud de Jacob y la de Esaú con respecto al derecho de primogenitura? (Gén. 25:31-34.)

2. *Leer Génesis 26:34, 35; 27:1-46, y 28:1-5.*

a) ¿Cómo se hizo patente la falta de aprecio de Esaú por las cosas espirituales? (Gén. 26:34, 35; 27:46.)

b) A fin de que Jacob recibiera la bendición de Dios, ¿qué le dijo Isaac que hiciera? (Gén. 28:1-4.)

3. *Leer Hebreos 12:16, 17.*

¿Cómo demuestra el ejemplo de Esaú lo que les espera a quienes desprecian las cosas sagradas?

Jacob va a Harán

1. ¿Quién es la joven de la lámina, y qué hizo Jacob por ella?

2. ¿Qué estuvo dispuesto a hacer Jacob para casarse con Raquel?

3. ¿Qué hizo Labán cuando llegó el tiempo para que Jacob y Raquel se casaran?

4. ¿Qué hizo Jacob para poder casarse con Raquel?

Preguntas adicionales:

1. *Leer Génesis 29:1-30.*

a) Aunque Labán lo engañó, ¿cómo demostró Jacob que era honorable, y qué podemos aprender de ello? (Gén. 25:27; 29:26-28; Mat. 5:37.)

b) ¿Cómo muestra el ejemplo de Jacob la diferencia entre el amor y el encaprichamiento? (Gén. 29:18, 20, 30; Cant. de Cant. 8:6.)

c) ¿Qué cuatro mujeres formaron parte de la familia de Jacob y posteriormente le dieron hijos? (Gén. 29:23, 24, 28, 29.)

Historia 19

La gran familia de Jacob

1. ¿Cómo se llamaban los seis hijos que tuvo Jacob con su primera esposa, Lea?

2. ¿Qué dos hijos tuvo Jacob con Zilpa (Zilpá), la sierva de Lea?

3. ¿Cómo se llamaban los dos hijos que tuvo Jacob con Bilha (Bilhá), la sierva de Raquel?

4. ¿Qué dos hijos dio a luz Raquel, pero qué ocurrió cuando nació el segundo?

5. Según muestra la lámina, ¿cuántos hijos tuvo Jacob, y qué nación provino de ellos?

Preguntas adicionales:

1. *Leer Génesis 29:32-35; 30:1-26, y 35:16-19.*

Como se ve en el caso de los doce hijos de Jacob, ¿cómo solía ponerse nombre a los niños hebreos en tiempos antiguos?

2. *Leer Génesis 37:35.*

Aunque la Biblia solo menciona por nombre a Dina, ¿cómo sabemos que Jacob tuvo más de una hija? (Gén. 37:34, 35.)

Historia 20

Dina cae en dificultades

1. ¿Por qué no querían Abrahán e Isaac que sus hijos se casaran con gente de la tierra de Canaán?

2. ¿Le parecía bien a Jacob que su hija tuviera amistad con muchachas cananeas?

3. ¿Quién es el hombre de la lámina que está mirando a Dina, y qué cosa mala hizo?

4. ¿Qué hicieron Simeón y Leví (los hermanos de Dina) cuando oyeron lo que había ocurrido?

5. ¿Le agradó a Jacob lo que hicieron Simeón y Leví?

6. ¿Cómo empezaron las dificultades de esta familia?

Preguntas adicionales:

1. *Leer Génesis 34:1-31.*

a) ¿Fue un incidente aislado la visita de Dina a las hijas de la tierra de Canaán? Explicarlo (Gén. 34:1).

b) ¿Por qué fue Dina hasta cierto grado responsable de perder su virginidad? (Gál. 6:7.)

c) ¿Cómo pueden los jóvenes de hoy mostrar que toman a pecho el ejemplo amonestador de Dina? (Pro. 13:20; 1 Cor. 15:33; 1 Juan 5:19.)

Historia 21

Sus hermanos odian a José

1. ¿Por qué le tenían envidia a José sus hermanos, y qué hicieron?

2. ¿Qué quieren hacerle a José sus hermanos, pero qué dice Rubén?

3. ¿Qué ocurre cuando llegan unos mercaderes ismaelitas?

4. ¿Qué hacen los hermanos de José para que su padre piense que el muchacho ha muerto?

Preguntas adicionales:

1. *Leer Génesis 37:1-35.*

a) ¿Cómo pueden los cristianos imitar el ejemplo de José al informar de mala conducta en la congregación? (Gén. 37:2; Lev. 5:1; 1 Cor. 1:11.)

b) ¿Qué llevó a los hermanos de José a traicionarlo? (Gén. 37:11, 18; Pro. 27:4; Sant. 3:14-16.)

c) ¿Qué reacción de Jacob es parte normal del duelo? (Gén. 37:35.)

Historia 22

José metido en prisión

1. ¿Cuántos años tiene José cuando lo llevan a Egipto, y qué ocurre cuando llega allí?

2. ¿Por qué acaba José en prisión?

3. ¿Qué responsabilidad le dan a José en la prisión?

4. ¿Qué hace José por el copero y el panadero de Faraón mientras están en prisión?

5. ¿Qué sucede después que sacan de la prisión al copero?

Preguntas adicionales:

1. *Leer Génesis 39:1-23.*

Puesto que en el tiempo de José no había una ley de Dios escrita que condenara el adulterio, ¿qué lo impulsó a huir de la esposa de Potifar? (Gén. 2:24; 20:3; 39:9.)

2. *Leer Génesis 40:1-23.*

a) Describir brevemente el sueño del copero y la interpretación que Jehová dio a José (Gén. 40:9-13).

b) ¿Qué sueño tuvo el panadero, y qué significaba? (Gén. 40:16-19.)

c) ¿Cómo han imitado la actitud de José los de la clase del esclavo fiel y discreto hoy en día? (Gén. 40:8; Sal. 36:9; Juan 17:17; Hech. 17:2, 3.)

d) ¿Cómo arroja luz Génesis 40:20 en cuanto al punto de vista cristiano sobre las celebraciones de cumpleaños? (Ecl. 7:1; Mar. 6:21-28.)

Los sueños de Faraón

1. ¿Qué le pasa a Faraón una noche?

2. ¿Por qué recuerda finalmente el copero a José?

3. Como se ve en la lámina, ¿qué dos sueños tiene Faraón?

4. ¿Qué dice José que significan los sueños?

5. ¿Cómo llega a ser José el hombre más importante de Egipto después de Faraón?

6. ¿Por qué van a Egipto los hermanos de José, y por qué no lo reconocen?

7. ¿Qué sueño recuerda José, y qué le ayuda a entender?

Preguntas adicionales:

1. *Leer Génesis 41:1-57.*

a) ¿Cómo dirigió José la atención a Jehová, y de qué manera pueden los cristianos imitar su ejemplo? (Gén. 41:16, 25, 28; Mat. 5:16; 1 Ped. 2:12.)

b) ¿De qué manera establecen un contraste acertado entre la condición espiritual del pueblo de Jehová y la de la cristiandad los años de abundancia de Egipto seguidos de los años de hambre? (Gén. 41:29, 30; Amós 8:11, 12.)

2. *Leer Génesis 42:1-8 y 50:20.*

¿Está mal que los adoradores de Jehová se inclinen ante un hombre en señal de honra y respeto por su posición si esa es la costumbre del país? (Gén. 42:6.)

Historia 24

José prueba a sus hermanos

1. ¿Por qué acusa José a sus hermanos de ser espías?
2. ¿Por qué deja Jacob que su hijo menor, Benjamín, vaya a Egipto?
3. ¿Cómo llega la copa de plata de José al saco de Benjamín?
4. ¿Qué se ofrece a hacer Judá para que liberen a Benjamín?
5. ¿En qué han cambiado los hermanos de José?

Preguntas adicionales:

1. *Leer Génesis 42:9-38.*

¿Por qué son las palabras de José registradas en Génesis 42:18 un buen recordatorio para los que tienen responsabilidades en la organización de Jehová hoy día? (Neh. 5:15; 2 Cor. 7:1, 2.)

2. *Leer Génesis 43:1-34.*

a) Aunque Rubén era el primogénito, ¿cómo se ve claramente que Judá fue el portavoz de sus hermanos? (Gén. 43:3, 8, 9; 44:14, 18; 1 Cró. 5:2.)

b) Al parecer, ¿de qué forma puso José a prueba a sus hermanos, y por qué? (Gén. 43:33, 34.)

3. *Leer Génesis 44:1-34.*

a) Como parte de su plan para esconder de sus hermanos su identidad, ¿qué papel representó José? (Gén. 44:5, 15; Lev. 19:26.)

b) ¿Cómo mostraron los hermanos de José que ya no eran víctimas de la envidia que anteriormente le habían tenido a su hermano? (Gén. 44:13, 33, 34.)

Historia 25

La familia se muda a Egipto

1. ¿Qué sucede cuando José les dice a sus hermanos quién es?
2. ¿Qué explica José bondadosamente a sus hermanos?
3. ¿Qué dice Faraón cuando oye acerca de los hermanos de José?

4. ¿Qué tamaño tenía la familia de Jacob cuando se mudaron a Egipto?

5. ¿Cómo se llamó a la familia de Jacob, y por qué?

Preguntas adicionales:

1. *Leer Génesis 45:1-28.*

¿Cómo muestra el relato bíblico de José que Jehová puede hacer que tenga buen resultado algo que inicialmente tiene como objetivo perjudicar a sus siervos? (Gén. 45:5-8; Isa. 8:10; Fili. 1:12-14.)

2. *Leer Génesis 46:1-27.*

¿Cómo confortó Jehová a Jacob en su viaje a Egipto? (Gén. 46:1-4, nota.)

Historia 26

Job es fiel a Dios

1. ¿Quién era Job?

2. ¿Qué trató de hacer Satanás? ¿Lo logró?

3. ¿Qué permitió Jehová que hiciera Satanás, y por qué?

4. ¿Por qué le dijo a Job su esposa "maldice a Dios y muere"? (Mira la lámina.)

5. Como puedes ver en la segunda lámina, ¿de qué manera bendijo Jehová a Job, y por qué?

6. Si nosotros somos fieles a Jehová como Job, ¿qué bendiciones recibiremos?

Preguntas adicionales:

1. *Leer Job 1:1-22.*

¿Cómo pueden los cristianos imitar a Job hoy en día? (Job 1:1; Fili. 2:15; 2 Ped. 3:14.)

2. *Leer Job 2:1-13.*

¿De qué dos formas muy distintas reaccionaron Job y su esposa a la persecución de Satanás? (Job 2:9, 10; Pro. 19:3; Miq. 7:7; Mal. 3:14.)

3. *Leer Job 42:10-17.*

a) ¿En qué se parecen las recompensas que recibieron tanto Job como Jesús por seguir un derrotero de fidelidad? (Job 42:12; Fili. 2:9-11.)

b) ¿Cómo nos anima enterarnos de las bendiciones que tuvo Job por conservar su integridad? (Job 42:10, 12; Heb. 6:10; Sant. 1: 2-4, 12; 5:11.)

Un rey malo manda en Egipto

1. ¿Quién es el hombre de la lámina que tiene el látigo, y a quién está golpeando?

2. ¿Qué pasó con los israelitas después de la muerte de José?

3. ¿Por qué empezaron los egipcios a tener miedo de los israelitas?

4. ¿Qué mandato dio Faraón a las mujeres que ayudaban a las israelitas a dar a luz?

Preguntas adicionales:

1. *Leer Éxodo 1:6-22.*

a) ¿De qué manera empezó Jehová a cumplir su promesa a Abrahán? (Éxo. 1:7; Gén. 12:2; Hech. 7:17.)

b) ¿Cómo mostraron las parteras hebreas que respetaban la santidad de la vida? (Éxo. 1:17; Gén. 9:6.)

c) ¿Cómo se recompensó a las parteras por su fidelidad a Jehová? (Éxo. 1:20, 21; Pro. 19:17.)

d) ¿Cómo trató Satanás de frustrar el propósito de Jehová respecto a la Descendencia prometida de Abrahán? (Éxo. 1:22; Mat. 2:16.)

Se salva al bebé Moisés

1. ¿Quién es el bebé de la lámina, y a quién le está agarrando el dedo?

2. ¿Qué hizo la madre de Moisés para que no lo mataran?

3. ¿Quién es la niña de la lámina, y qué hizo?

4. Cuando la hija de Faraón encontró al bebé, ¿qué le sugirió Míriam?

5. ¿Qué dijo la princesa a la madre de Moisés?

Pregunta adicional:

1. *Leer Éxodo 2:1-10.*

¿Qué oportunidad tuvo la madre de Moisés de educar y enseñar a Moisés en su infancia, y qué ejemplo suministra para los padres de hoy día? (Éxo. 2:9, 10; Deu. 6:6-9; Pro. 22:6; Efe. 6:4; 2 Tim. 3:15.)

Por qué huyó Moisés

1. ¿Dónde creció Moisés, pero qué sabía de sus padres?
2. ¿Qué hizo Moisés cuando tenía 40 años?
3. ¿Qué dijo Moisés a un israelita que estaba golpeando a otro, y qué le respondió el hombre?
4. ¿Por qué huyó Moisés de Egipto?
5. ¿Adónde huyó Moisés, y a quién conoció allí?
6. ¿Qué hizo Moisés durante los siguientes cuarenta años?

Preguntas adicionales:

1. Leer Éxodo 2:11-25.
Pese a los años de educación egipcia, ¿cómo demostró Moisés lealtad a Jehová y a su pueblo? (Éxo. 2:11, 12; Heb. 11:24.)
2. Leer Hechos 7:22-29.
¿Qué lección podemos aprender del incidente en que Moisés trató por sí mismo de liberar a Israel de la esclavitud a Egipto? (Hech. 7:23-25; 1 Ped. 5:6, 10.)

El arbusto ardiente

1. ¿Cómo se llama la montaña de la lámina?
2. ¿Qué cosa rara vio Moisés cuando fue a la montaña con sus ovejas?
3. ¿Qué dijo la voz que salía del arbusto ardiente, y de quién era esa voz?
4. ¿Cómo respondió Moisés cuando Dios le dijo que sacara a Su pueblo de Egipto?
5. ¿Qué le dijo Dios a Moisés que respondiera si le preguntaban quién lo había enviado?
6. ¿Cómo podría probar Moisés que lo había enviado Dios?

Preguntas adicionales:

1. Leer Éxodo 3:1-22.
¿Por qué nos da confianza la experiencia de Moisés de que, aun si no nos sentimos capacitados para cumplir alguna asignación teocrática, Jehová nos dará su apoyo? (Éxo. 3:11, 13; 2 Cor. 3:5, 6.)

2. *Leer Éxodo 4:1-20.*

a) ¿Cómo cambió la actitud de Moisés durante los cuarenta años que pasó en Madián, y qué lección pueden aprender de ello quienes desean alcanzar privilegios en la congregación? (Éxo. 2:11, 12; 4:10, 13; Miq. 6:8; 1 Tim. 3:1, 6, 10.)

b) Aun si Jehová nos disciplina mediante su organización, ¿qué confianza puede darnos el ejemplo de Moisés? (Éxo. 4:12-14; Sal. 103:14; Heb. 12:4-11.)

Historia 31

Moisés y Aarón ven a Faraón

1. ¿Qué efecto tuvieron en los israelitas los milagros que hicieron Moisés y Aarón?

2. ¿Qué le dijeron Moisés y Aarón a Faraón, y qué les respondió Faraón?

3. Como se ve en la lámina, ¿qué sucedió cuando Aarón tiró su vara al suelo?

4. ¿Qué lección le dio Jehová a Faraón, y cómo reaccionó Faraón?

5. ¿Qué sucedió después de la décima plaga?

Preguntas adicionales:

1. *Leer Éxodo 4:27-31 y 5:1-23.*

¿Qué quiso decir Faraón con las palabras: "No conozco a Jehová en absoluto"? (Éxo. 5:2; 1 Sam. 2:12; Rom. 1:21.)

2. *Leer Éxodo 6:1-13, 26-30.*

a) ¿En qué sentido no se había dado a conocer Jehová a Abrahán, Isaac y Jacob? (Éxo. 3:13, 14; 6:3; Gén. 12:8.)

b) ¿Qué sentimos al saber que Jehová usó a Moisés, aun cuando él no se sentía capacitado para la tarea que se le asignaba? (Éxo. 6: 12, 30; Luc. 21:13-15.)

3. *Leer Éxodo 7:1-13.*

a) Cuando Moisés y Aarón llevaron valientemente ante Faraón los mensajes de juicio de Jehová, ¿qué modelo pusieron para los siervos de Dios de hoy día? (Éxo. 7:2, 3, 6; Hech. 4:29-31.)

b) ¿Cómo mostró Jehová su supremacía sobre los dioses egipcios? (Éxo. 7:12; 1 Cró. 29:12.)

Las diez plagas

1. Usando los dibujos, di cuáles fueron las tres primeras plagas que Jehová mandó a Egipto.

2. ¿Qué diferencia había entre las primeras tres plagas y las demás?

3. ¿Cuáles fueron las plagas cuarta, quinta y sexta?

4. ¿Cuáles fueron las plagas séptima, octava y novena?

5. ¿Qué dijo Jehová que hicieran los israelitas antes de la décima plaga?

6. ¿Cuál fue la décima plaga, y qué pasó después?

Preguntas adicionales:

1. *Leer Éxodo 7:19–8:23.*

a) Aunque los sacerdotes practicantes de magia de Egipto pudieron repetir las primeras dos plagas de Jehová, ¿qué se vieron obligados a admitir después de la tercera? (Éxo. 8:18, 19; Mat. 12:24-28.)

b) ¿Cómo demostró la cuarta plaga la capacidad de Jehová de proteger a su pueblo, y cómo hace esto sentir al pueblo de Dios al encararse a la predicha "gran tribulación"? (Éxo. 8:22, 23; Rev. 7: 13, 14; 2 Cró. 16:9.)

2. *Leer Éxodo 8:24; 9:3, 6, 10, 11, 14, 16, 23-25, y 10:13-15, 21-23.*

a) ¿Qué dos grupos quedaron manifiestos mediante las diez plagas, y cómo afecta esto nuestro punto de vista de dichos grupos hoy día? (Éxo. 8:10, 18, 19; 9:14.)

b) ¿Cómo nos ayuda Éxodo 9:16 a entender la razón por la que Jehová ha permitido que Satanás siga existiendo? (Rom. 9:21, 22.)

3. *Leer Éxodo 12:21-32.*

¿De qué manera hizo posible la Pascua que muchos se salvaran, y a qué señaló esta celebración? (Éxo. 12:21-23; Juan 1:29; Rom. 5: 18, 19, 21; 1 Cor. 5:7.)

Cruzando el mar Rojo

1. ¿Cuántos hombres israelitas, acompañados de mujeres y niños, salieron de Egipto, y quiénes salieron con ellos?

2. ¿Cómo se sintió Faraón después de dejar salir a los israelitas, y qué hizo?

3. ¿Qué hizo Jehová para impedir que los egipcios atacaran a su pueblo?

4. ¿Qué pasó cuando Moisés extendió su vara sobre el mar Rojo, y qué hicieron los israelitas?

5. ¿Qué ocurrió cuando los egipcios entraron en el mar para ir tras los israelitas?

6. ¿Cómo demostraron los israelitas que estaban contentos y agradecidos de que Jehová los hubiera salvado?

Preguntas adicionales:

1. *Leer Éxodo 12:33-36.*

¿Cómo se encargó Jehová de que a su pueblo se le compensara por todos los años de esclavitud en Egipto? (Éxo. 3:21, 22; 12:35, 36.)

2. *Leer Éxodo 14:1-31.*

¿Qué efecto tienen las palabras de Moisés registradas en Éxodo 14:13, 14 en los siervos de Jehová de hoy día en vista de la venidera batalla de Armagedón? (2 Cró. 20:17; Sal. 91:8.)

3. *Leer Éxodo 15:1-8, 20, 21.*

a) ¿Por qué deben los siervos de Jehová cantarle alabanzas? (Éxo. 15:1, 2; Sal. 105:2, 3; Rev. 15:3, 4.)

b) ¿Qué ejemplo de alabanza a Jehová pusieron para las cristianas de hoy Míriam y las demás mujeres en el mar Rojo? (Éxo. 15:20, 21; Sal. 68:11.)

Historia 34

Un alimento nuevo

1. ¿Qué está recogiendo del suelo la gente de la lámina, y cómo se le llama a eso?

2. ¿Qué instrucciones da Moisés al pueblo en cuanto a la recolección del maná?

3. ¿Qué dice Jehová que haga el pueblo al sexto día, y por qué?

4. ¿Qué milagro realiza Jehová cuando el maná se guarda hasta el séptimo día?

5. ¿Cuánto tiempo alimenta Jehová al pueblo con maná?

Preguntas adicionales:

1. *Leer Éxodo 16:1-36 y Números 11:7-9.*

a) ¿Qué muestra Éxodo 16:8 respecto a la necesidad de que respetemos los nombramientos teocráticos en la congregación cristiana? (Heb. 13:17.)

b) ¿Cómo se les recordó diariamente a los israelitas en el desierto que dependían de Jehová? (Éxo. 16:14-16, 35; Deu. 8:2, 3.)

c) ¿Qué significado simbólico dio Jesús al maná, y cómo nos beneficiamos de este "pan del cielo"? (Juan 6:31-35, 40.)

2. *Leer Josué 5:10-12.*

¿Cuántos años comieron maná los israelitas, de qué forma los puso esto a prueba, y qué podemos aprender de este relato? (Éxo. 16:35; Núm. 11:4-6; 1 Cor. 10:10, 11.)

Historia 35

Jehová da sus leyes

1. Unos dos meses después de haber salido de Egipto, ¿dónde acamparon los israelitas?

2. ¿Qué quiere Jehová que haga el pueblo, y qué responden?

3. ¿Por qué da Jehová a Moisés dos piedras planas?

4. Aparte de los Diez Mandamientos, ¿qué otras leyes dio Jehová a los israelitas?

5. ¿Qué dos leyes dijo Jesucristo que son las más importantes?

Preguntas adicionales:

1. *Leer Éxodo 19:1-25; 20:1-21; 24:12-18, y 31:18.*

¿Cómo nos ayudan las palabras de Éxodo 19:8 a entender lo que implica la dedicación cristiana? (Mat. 16:24; 1 Ped. 4:1-3.)

2. *Leer Deuteronomio 6:4-6; Levítico 19:18, y Mateo 22:36-40.*

¿Cómo demuestran los cristianos su amor a Dios y al prójimo? (Mar. 6:34; Hech. 4:20; Rom. 15:2.)

Historia 36

El becerro de oro

1. ¿Qué está haciendo la gente de la lámina, y por qué?

2. ¿Por qué está enojado Jehová, y qué hace Moisés cuando ve lo que está haciendo la gente?

3. ¿Qué manda hacer Moisés a algunos hombres?

4. ¿Qué lección nos enseña esta historia?

Preguntas adicionales:

1. *Leer Éxodo 32:1-35.*

a) ¿Cómo muestra este relato lo que piensa Jehová de mezclar la religión falsa con la adoración verdadera? (Éxo. 32:4-6, 10; 1 Cor. 10:7, 11.)

b) ¿Qué precauciones deben tener los cristianos al seleccionar su entretenimiento, como las canciones o el baile? (Éxo. 32:18, 19; Efe. 5:15, 16; 1 Juan 2:15-17.)

c) ¿Cómo puso la tribu de Leví un buen ejemplo de salir en defensa de la justicia? (Éxo. 32:25-28; Sal. 18:25.)

Una tienda para adorar

1. ¿Cómo se llama el edificio de la lámina, y para qué sirve?

2. ¿Por qué le dijo Jehová a Moisés que hiciera la tienda de modo que pudiera desmontarse fácilmente?

3. ¿Qué es la caja que hay en el cuartito que está en un extremo de la tienda, y qué contiene?

4. ¿A quién escoge Jehová para que sea el sumo sacerdote, y en qué consiste su trabajo?

5. ¿Cuáles son las tres cosas que hay en el cuarto más grande de la tienda?

6. ¿Qué dos cosas hay en el patio del tabernáculo, y para qué sirven?

Preguntas adicionales:

1. *Leer Éxodo 25:8-40; 26:1-37; 27:1-8, y 28:1.*

¿Qué representaban los querubines que había sobre "el arca del testimonio"? (Éxo. 25:20, 22; Núm. 7:89; 2 Rey. 19:15.)

2. *Leer Éxodo 30:1-10, 17-21; 34:1, 2, y Hebreos 9:1-5.*

a) ¿Por qué recalcó Jehová la importancia de la limpieza física en el caso de los sacerdotes que servían en el tabernáculo, y qué efecto debe tener este hecho en nosotros? (Éxo. 30:18-21; 40:30, 31; Heb. 10:22.)

b) ¿Cómo muestra el apóstol Pablo que el tabernáculo y el pacto de la Ley habían quedado sin efecto para el tiempo en que escribió su carta a los cristianos hebreos? (Heb. 9:1, 9; 10:1.)

Los 12 espías

1. ¿Qué te parece el racimo de uvas de la lámina? ¿De dónde lo traen?
2. ¿Por qué envía Moisés doce espías a la tierra de Canaán?
3. ¿Qué dicen diez de los espías cuando vuelven a donde Moisés?
4. ¿Cómo demuestran dos espías que confían en Jehová, y cómo se llaman?
5. ¿Por qué se enoja Jehová, y qué le dice a Moisés?

Preguntas adicionales:

1. *Leer Números 13:1-33.*

a) ¿A quiénes se escogió para espiar la tierra, y qué magnífica oportunidad tuvieron? (Núm. 13:2, 3, 18-20.)

b) ¿Por qué tenían Josué y Caleb un punto de vista diferente del de los demás espías, y qué nos enseña esto? (Núm. 13:28-30; Mat. 17:20; 2 Cor. 5:7.)

2. *Leer Números 14:1-38.*

a) ¿A qué advertencia sobre murmurar de los representantes de Jehová en la Tierra debemos hacer caso? (Núm. 14:2, 3, 27; Mat. 25:40, 45; 1 Cor. 10:10.)

b) ¿Cómo muestra Números 14:24 que Jehová se interesa personalmente en cada uno de sus siervos? (1 Rey. 19:18; Pro. 15:3.)

La vara de Aarón florece

1. ¿Quiénes se rebelan contra la autoridad de Moisés y Aarón, y qué le dicen a Moisés?
2. ¿Qué pide Moisés a Coré y sus 250 seguidores?
3. ¿Qué dice Moisés al pueblo, y qué sucede en cuanto deja de hablar?
4. ¿Qué les ocurre a Coré y sus 250 seguidores?
5. ¿Qué hace Eleazar, el hijo de Aarón, con los incensarios de los hombres que han muerto, y por qué?

6. ¿Por qué hace Jehová que florezca la vara de Aarón? (Mira la lámina.)

Preguntas adicionales:

1. *Leer Números 16:1-49.*

a) ¿Qué hicieron Coré y sus seguidores, y por qué fue eso un acto de rebelión contra Jehová? (Núm. 16:9, 10, 18; Lev. 10:1, 2; Pro. 11:2.)

b) ¿Qué idea equivocada adoptaron Coré y los 250 "principales de la asamblea"? (Núm. 16:1-3; Pro. 15:33; Isa. 49:7.)

2. *Leer Números 17:1-11 y 26:10.*

a) ¿Qué indicó el hecho de que la vara de Aarón brotara, y por qué dijo Jehová que se guardara en el arca? (Núm. 17:5, 8, 10.)

b) ¿Qué importante lección podemos aprender de la señal de la vara de Aarón? (Núm. 17:10; Hech. 20:28; Fili. 2:14; Heb. 13:17.)

Historia 40

Moisés hiere la roca

1. ¿Cómo cuida Jehová de los israelitas mientras están en el desierto?

2. ¿De qué se quejan los israelitas cuando acampan en Qadés?

3. ¿Cómo provee Jehová agua para la gente y los animales?

4. ¿Quién es el hombre de la lámina que está señalándose a sí mismo, y por qué lo está haciendo?

5. ¿Por qué se enoja Jehová con Moisés y Aarón, y qué castigo les impone?

6. ¿Qué sucede en el monte Hor, y quién llega a ser el sumo sacerdote de Israel?

Preguntas adicionales:

1. *Leer Números 20:1-13, 22-29 y Deuteronomio 29:5.*

a) ¿Qué aprendemos de la manera en que Jehová cuidó de los israelitas en el desierto? (Deu. 29:5; Mat. 6:31; Heb. 13:5; Sant. 1:17.)

b) ¿Cómo consideró Jehová el hecho de que Moisés y Aarón no lo santificaran ante Israel? (Núm. 20:12; 1 Cor. 10:12; Rev. 4:11.)

c) ¿Qué podemos aprender del modo como Moisés reaccionó ante la disciplina que recibió de Jehová? (Núm. 12:3; 20:12, 27, 28; Deu. 32:4; Heb. 12:7-11.)

La serpiente de cobre

1. ¿Qué hay enroscado en el poste que se ve en la lámina, y por qué le dijo Jehová a Moisés que lo pusiera allí?

2. ¿Cómo muestra la gente que no agradece lo que Dios ha hecho por ellos?

3. ¿Qué pide la gente a Moisés cuando Jehová envía serpientes venenosas para castigarlos?

4. ¿Por qué dice Jehová a Moisés que haga una serpiente de cobre?

5. ¿Qué lección nos enseña este relato?

Preguntas adicionales:

1. *Leer Números 21:4-9.*

a) ¿Qué advertencia encontramos en el hecho de que Israel se quejara de las provisiones de Jehová? (Núm. 21:5, 6; Rom. 2:4.)

b) En siglos posteriores, ¿cómo usaron los israelitas la serpiente de cobre, y qué acción tomó el rey Ezequías? (Núm. 21:9; 2 Rey. 18:1-4.)

2. *Leer Juan 3:14, 15.*

¿Cómo prefiguró el que se colocara la serpiente de cobre en un poste-señal la ejecución de Jesucristo? (Gál. 3:13; 1 Ped. 2:24.)

Un asna habla

1. ¿Quién es Balac, y por qué envía a buscar a Balaam?

2. ¿Por qué se acuesta en el camino el asna de Balaam?

3. ¿Qué oye Balaam decir al asna?

4. ¿Qué le dice un ángel a Balaam?

5. ¿Qué ocurre cuando Balaam trata de maldecir a Israel?

Preguntas adicionales:

1. *Leer Números 21:21-35.*

¿Por qué derrotó Israel a Sehón, el rey de los amorreos, y a Og, el rey de Basán? (Núm. 21:21, 23, 33, 34.)

2. *Leer Números 22:1-40.*

¿Qué motivo tenía Balaam para tratar de maldecir a Israel, y qué lecciones podemos aprender de ello? (Núm. 22:16, 17; Pro. 6:16, 18; 2 Ped. 2:15; Jud. 11.)

3. *Leer Números 23:1-30.*

Aunque Balaam hablaba como si fuera un adorador de Jehová, ¿cómo mostraron sus acciones lo contrario? (Núm. 23:3, 11-14; 1 Sam. 15:22.)

4. *Leer Números 24:1-25.*

¿Cómo fortalece este relato bíblico nuestra fe en la realización del propósito de Jehová? (Núm. 24:10; Isa. 54:17.)

Historia 43

Josué hecho líder

1. ¿Quiénes son los dos hombres que están con Moisés en la lámina?

2. ¿Qué le dice Jehová a Josué?

3. ¿Por qué sube Moisés a la cima del monte Nebo, y qué le dice Jehová?

4. ¿Cuántos años tiene Moisés al morir?

5. ¿Por qué está triste el pueblo, pero qué motivo tiene para estar alegre?

Preguntas adicionales:

1. *Leer Números 27:12-23.*

¿Qué importante asignación le da Jehová a Josué, y cómo se ve hoy el interés de Jehová por Su pueblo? (Núm. 27:15-19; Hech. 20:28; Heb. 13:7.)

2. *Leer Deuteronomio 3:23-29.*

¿Por qué no permitió Jehová que Moisés y Aarón pasaran a la Tierra Prometida, y qué lección aprendemos de ello? (Deu. 3:25-27; Núm. 20:12, 13.)

3. *Leer Deuteronomio 31:1-8, 14-23.*

¿Cómo mostró Moisés en sus palabras de despedida a Israel que aceptó humildemente la disciplina de Jehová? (Deu. 31:6-8, 23.)

4. *Leer Deuteronomio 32:45-52.*

¿Cómo debe afectar nuestra vida la Palabra de Dios? (Deu. 32:47; Lev. 18:5; Heb. 4:12.)

5. *Leer Deuteronomio 34:1-12.*

Aunque Moisés nunca llegó a ver realmente la persona de Jehová, ¿qué indica Deuteronomio 34:10 respecto a su relación con Él? (Éxo. 33:11, 20; Núm. 12:8.)

Rahab oculta a los espías

1. ¿Dónde vive Rahab?
2. ¿Quiénes son los dos hombres de la lámina, y por qué están en Jericó?
3. ¿Qué ordena el rey de Jericó a Rahab, y qué le responde ella?
4. ¿Cómo ayuda Rahab a los dos hombres, y qué favor les pide?
5. ¿Qué le prometen a Rahab los dos espías?

Preguntas adicionales:

1. *Leer Josué 2:1-24.*
¿Cómo se cumplió la promesa de Jehová registrada en Éxodo 23:28 cuando los israelitas fueron contra Jericó? (Jos. 2:9-11.)
2. *Leer Hebreos 11:31.*
¿Cómo destaca el ejemplo de Rahab la importancia de la fe? (Rom. 1:17; Heb. 10:39; Sant. 2:25.)

Cruzando el río Jordán

1. ¿Qué milagro hace Jehová para que los israelitas puedan cruzar el río Jordán?
2. ¿Qué acto de fe deben efectuar los israelitas a fin de cruzar el río Jordán?
3. ¿Por qué le dice Jehová a Josué que recoja doce piedras grandes del lecho del río?
4. ¿Qué sucede en cuanto los sacerdotes salen del Jordán?

Preguntas adicionales:

1. *Leer Josué 3:1-17.*
a) Como ilustra este relato, ¿qué debemos hacer a fin de recibir la ayuda y la bendición de Jehová? (Jos. 3:13, 15; Pro. 3:5; Sant. 2:22, 26.)
b) ¿Cómo estaba el río Jordán cuando los israelitas lo cruzaron para llegar a la Tierra Prometida, y de qué forma magnificó esto el nombre de Jehová? (Jos. 3:15; 4:18; Sal. 66:5-7.)
2. *Leer Josué 4:1-18.*
¿Qué propósito cumplieron las doce piedras que se recogieron del Jordán y se colocaron en Guilgal? (Jos. 4:4-7.)

Los muros de Jericó

1. ¿Qué manda Jehová que hagan los guerreros y los sacerdotes durante seis días?

2. ¿Qué deben hacer los hombres el séptimo día?

3. Como puede verse en la lámina, ¿qué está pasando con los muros de Jericó?

4. ¿Por qué hay una cuerda roja colgando de una ventana?

5. ¿Qué dice Josué que hagan los guerreros con la gente y la ciudad, y qué tienen que hacer con la plata, el oro, el cobre y el hierro?

6. ¿Qué se les manda hacer a los dos espías?

Preguntas adicionales:

1. *Leer Josué 6:1-25.*

a) ¿En qué se parece la marcha de los israelitas alrededor de Jericó en el séptimo día a la predicación de los testigos de Jehová en estos últimos días? (Jos. 6:15, 16; Isa. 60:22; Mat. 24:14; 1 Cor. 9:16.)

b) ¿Cómo se cumplió la profecía de Josué 6:26 unos quinientos años después, y qué nos enseña en cuanto a la palabra de Jehová? (1 Rey. 16:34; Isa. 55:11.)

Un ladrón en Israel

1. ¿Quién es el hombre de la lámina que está enterrando unas cosas valiosas que tomó en Jericó, y quiénes son los que lo ayudan?

2. ¿Por qué es tan serio lo que hicieron Acán y su familia?

3. ¿Qué dice Jehová cuando Josué pregunta por qué han salido derrotados los israelitas en la batalla de Hai?

4. ¿Qué pasa con Acán y su familia cuando los llevan ante Josué?

5. ¿Qué importante lección aprendemos de lo que le ocurrió a Acán?

Preguntas adicionales:

1. *Leer Josué 7:1-26.*

a) ¿Qué revelaron las oraciones de Josué en cuanto a su relación con el Creador? (Jos. 7:7-9; Sal. 119:145; 1 Juan 5:14.)

b) ¿Qué muestra el ejemplo de Acán, y por qué nos sirve de advertencia? (Jos. 7:11, 14, 15; Pro. 15:3; 1 Tim. 5:24; Heb. 4:13.)

2. *Leer Josué 8:1-29.*
¿Qué responsabilidad personal tenemos para con la congregación cristiana hoy día? (Jos. 7:13; Lev. 5:1; Pro. 28:13.)

Los sabios gabaonitas

1. ¿En qué se diferencia la gente de Gabaón de los cananeos de las ciudades cercanas?
2. Como ves en la lámina, ¿qué hacen los gabaonitas, y por qué?
3. ¿Qué promesa hacen Josué y los líderes israelitas a los gabaonitas, pero qué descubren al cabo de tres días?
4. ¿Qué sucede cuando los reyes de otras ciudades oyen que los gabaonitas han hecho la paz con Israel?

Preguntas adicionales:

1. *Leer Josué 9:1-27.*
a) Puesto que Jehová había ordenado que la nación de Israel "aniquilara a todos los habitantes de la tierra", ¿qué cualidades suyas se ponen de relieve al perdonar a los gabaonitas? (Jos. 9:22, 24; Mat. 9:13; Hech. 10:34, 35; 2 Ped. 3:9.)
b) Al cumplir con el pacto que había hecho con los gabaonitas, ¿de qué forma puso Josué un buen ejemplo para los cristianos de hoy día? (Jos. 9:18, 19; Mat. 5:37; Efe. 4:25.)

2. *Leer Josué 10:1-5.*
¿Cómo imita hoy día a los gabaonitas la gran muchedumbre, lo que la hace blanco de qué? (Jos. 10:4; Zac. 8:23; Mat. 25:35-40; Rev. 12:17.)

El sol se detiene

1. ¿Qué está diciendo Josué en la lámina, y por qué?
2. ¿Cómo ayuda Jehová a Josué y a sus guerreros?
3. ¿A cuántos reyes enemigos derrota Josué, y en cuánto tiempo?
4. ¿Por qué divide Josué la tierra de Canaán?
5. ¿Cuántos años tiene Josué al morir, y qué ocurre con la gente después?

Preguntas adicionales:

1. *Leer Josué 10:6-15.*

¿Qué confianza nos da saber que Jehová detuvo el Sol y la Luna por causa de Israel? (Jos. 10:8, 10, 12, 13; Sal. 18:3; Pro. 18:10.)

2. *Leer Josué 12:7-24.*

¿Quién derrotó en realidad a los 31 reyes de Canaán, y por qué es importante esto para nosotros hoy día? (Jos. 12:7; 24:11-13; Deu. 31:8; Luc. 21:9, 25-28.)

3. *Leer Josué 14:1-5.*

¿Cómo se dividió la tierra entre las tribus de Israel, y qué indica esto con respecto a las herencias en el Paraíso? (Jos. 14:2; Isa. 65:21; Eze. 47:21-23; 1 Cor. 14:33.)

4. *Leer Jueces 2:8-13.*

Al igual que Josué en Israel, ¿quiénes sirven hoy de freno contra la apostasía? (Jue. 2:8, 10, 11; Mat. 24:45-47; 2 Tes. 2:3-6; Tito 1: 7-9; Rev. 1:1; 2:1, 2.)

Historia 50

Dos mujeres valientes

1. ¿Quiénes son los jueces, y cómo se llaman algunos de ellos?

2. ¿Qué privilegio especial tiene Débora, y qué implica?

3. Cuando Israel está bajo la amenaza del rey Jabín y su jefe del ejército, Sísara, ¿qué mensaje de Jehová da Débora al juez Barac, y quién dice ella que se llevará la honra?

4. ¿Cómo muestra Jael que es una mujer valiente?

5. ¿Qué sucede después de la muerte del rey Jabín?

Preguntas adicionales:

1. *Leer Jueces 2:14-22.*

¿Por qué se encolerizó Jehová con los israelitas, y qué lección aprendemos de esto? (Jue. 2:20; Pro. 3:1, 2; Eze. 18:21-23.)

2. *Leer Jueces 4:1-24.*

¿Qué lecciones de fe y valor pueden aprender las cristianas de los ejemplos de Débora y Jael? (Jue. 4:4, 8, 9, 14, 21, 22; Pro. 31:30; 1 Cor. 16:13.)

3. *Leer Jueces 5:1-31.*

Al igual que Barac y Débora con su canción de victoria, ¿qué podemos pedir en oración respecto a la venidera guerra de Armagedón? (Jue. 5:3, 31; 1 Cró. 16:8-10; Rev. 7:9, 10; 16:16; 19:19-21.)

Historia 51

Rut y Noemí

1. ¿Por qué se había ido Noemí a la tierra de Moab?
2. ¿Quiénes son Rut y Orpa?
3. ¿Cómo responden Rut y Orpa cuando Noemí les dice que regresen a su pueblo?
4. ¿Quién es Booz, y cómo ayuda a Rut y Noemí?
5. ¿Cómo se llama el hijo de Booz y Rut, y por qué debemos recordarlo?

Preguntas adicionales:

1. *Leer Rut 1:1-17.*

a) ¿Qué hermosa expresión de amor leal pronuncia Rut? (Rut 1:16, 17.)

b) ¿Cómo se refleja la disposición mental de Rut en la actitud que tienen hoy día las "otras ovejas" para con el resto ungido? (Juan 10:16; Zac. 8:23.)

2. *Leer Rut 2:1-23.*

¿En qué aspectos fue Rut un buen ejemplo para las jóvenes de hoy? (Rut 2:17, 18; Pro. 23:22; 31:15.)

3. *Leer Rut 3:5-13.*

a) ¿Qué le pareció a Booz (Boaz) el que Rut estuviera dispuesta a casarse con él en lugar de con alguien más joven?

b) ¿Qué nos enseña la actitud de Rut acerca del amor leal? (Rut 3:10; 1 Cor. 13:4, 5.)

4. *Leer Rut 4:7-17.*

¿Cómo pueden los varones cristianos imitar a Booz (Boaz)? (Rut 4:9, 10; 1 Tim. 3:1, 12, 13; 5:8.)

Historia 52

Gedeón y sus 300 hombres

1. ¿En qué dificultad están los israelitas, y por qué?

2. ¿Por qué le dice Jehová a Gedeón que tiene demasiados hombres en su ejército?

3. ¿Cuántos hombres quedan después de que Gedeón manda a casa a los que tienen miedo?

4. Según muestra la lámina, ¿cómo redujo Jehová el ejército de Gedeón a solo 300 hombres?

5. ¿De qué manera organiza Gedeón a los 300 hombres, y cómo gana Israel la batalla?

Preguntas adicionales:

1. *Leer Jueces 6:36-40.*

a) ¿Cómo se aseguró Gedeón de cuál era la voluntad de Jehová?

b) ¿Cómo podemos averiguar hoy día cuál es la voluntad de Jehová? (Pro. 2:3-6; Mat. 7:7-11; 2 Tim. 3:16, 17.)

2. *Leer Jueces 7:1-25.*

a) ¿Qué lección aprendemos de los 300 hombres que estuvieron atentos, a diferencia de los que se descuidaron? (Jue. 7:3, 6; Rom. 13:11, 12; Efe. 5:15-17.)

b) Tal como los 300 hombres aprendieron de Gedeón al observarlo, ¿cómo aprendemos nosotros del Gedeón Mayor, Jesucristo? (Jue. 7:17; Mat. 11:29, 30; 28:19, 20; 1 Ped. 2:21.)

c) ¿Cómo nos ayuda Jueces 7:21 a estar dispuestos a servir dondequiera que se nos asigne en la organización de Jehová? (1 Cor. 4:2; 12:14-18; Sant. 4:10.)

3. *Leer Jueces 8:1-3.*

Al resolver desacuerdos personales con un hermano, ¿qué aprendemos del modo como Gedeón zanjó la disputa con los efraimitas? (Pro. 15:1; Mat. 5:23, 24; Luc. 9:48.)

Historia 53

La promesa de Jefté

1. ¿Quién es Jefté, y en qué tiempo vivió?

2. ¿Qué le promete Jefté a Jehová?

3. ¿Por qué se pone triste Jefté cuando vuelve a casa después de vencer a los amonitas?

4. ¿Qué dice la hija de Jefté cuando se entera de la promesa de su padre?

5. ¿Por qué ama la gente a la hija de Jefté?

Preguntas adicionales:

1. *Leer Jueces 10:6-18.*

¿Qué advertencia digna de atención nos proporciona el historial israelita de deslealtad a Jehová? (Jue. 10:6, 15, 16; Rom. 15:4; Rev. 2:10.)

2. *Leer Jueces 11:1-11, 29-40.*

a) ¿Cómo sabemos que el que Jefté diera a su hija como "ofrenda quemada" no quería decir ofrecerla como holocausto humano? (Jue. 11:31; Lev. 16:24; Deu. 18:10, 12.)

b) ¿En qué sentido ofreció Jefté a su hija en sacrificio?

c) ¿Qué aprendemos de la actitud de Jefté para con el voto que había hecho a Jehová? (Jue. 11:35, 39; Ecl. 5:4, 5; Mat. 16:24.)

d) ¿De qué manera pueden los jóvenes cristianos seguir el ejemplo de la hija de Jefté al emprender una carrera en el servicio de tiempo completo? (Jue. 11:36; Mat. 6:33; Fili. 3:8.)

Historia 54

El hombre más fuerte

1. ¿Cómo se llama el hombre más fuerte que jamás ha vivido, y quién le dio la fuerza?

2. ¿Qué hizo Sansón una vez con un león, como se ve en la lámina?

3. ¿Qué secreto le está contando Sansón a Dalila en la lámina, y por qué lleva esto a que lo capturen los filisteos?

4. ¿De qué forma causa Sansón la muerte de 3.000 filisteos enemigos el día que él muere?

Preguntas adicionales:

1. *Leer Jueces 13:1-14.*

¿Por qué son Manóah y su esposa un buen ejemplo para los padres en la crianza de los hijos? (Jue. 13:8; Sal. 127:3; Efe. 6:4.)

2. *Leer Jueces 14:5-9 y 15:9-16.*

a) ¿Qué revelan sobre la actuación del espíritu santo de Jehová los relatos en los que Sansón mató a un león, rompió las sogas nuevas con las que lo habían atado y usó la quijada de un asno para dar muerte a 1.000 hombres?

b) ¿Cómo nos ayuda hoy día el espíritu santo? (Jue. 14:6; 15:14; Zac. 4:6; Hech. 4:31.)

3. *Leer Jueces 16:18-31.*

¿Cómo le afectaron a Sansón las malas compañías, y qué aprendemos de ello? (Jue. 16:18, 19; 1 Cor. 15:33.)

Un niñito sirve a Dios

1. ¿Cómo se llama el niño de la lámina, y quiénes son los demás?
2. ¿Qué oración hace Ana un día que visita el tabernáculo, y cómo le contesta Jehová?
3. ¿Cuántos años tiene Samuel cuando lo llevan a servir en la tienda de Jehová, y qué hace su madre para él cada año?
4. ¿Cómo se llaman los hijos de Elí, y qué clase de hombres son?
5. ¿Cómo llama Jehová la atención de Samuel, y qué mensaje le da?
6. ¿Qué llega a ser Samuel cuando se hace adulto, y qué sucede cuando se hace viejo?

Preguntas adicionales:

1. *Leer 1 Samuel 1:1-28.*

a) ¿Qué buen ejemplo para los cabezas de familia pone Elcana (Elqaná) al tomar la iniciativa en la adoración verdadera? (1 Sam. 1:3, 21; Mat. 6:33; Fili. 1:10.)

b) ¿Qué lección aprendemos del modo como afrontó Ana un problema difícil? (1 Sam. 1:10, 11; Sal. 55:22; Rom. 12:12.)

2. *Leer 1 Samuel 2:11-36.*

¿De qué forma honró Elí a sus hijos más que a Jehová, y de qué nos advierte este hecho? (1 Sam. 2:22-24, 27, 29; Deu. 21:18-21; Mat. 10:36, 37.)

3. *Leer 1 Samuel 4:16-18.*

¿Qué cuatro noticias trágicas llegan de la línea de batalla, y qué efecto tiene este mensaje en Elí?

4. *Leer 1 Samuel 8:4-9.*

¿De qué forma ofendió Israel a Jehová, y cómo podemos apoyar lealmente su Reino hoy día? (1 Sam. 8:5, 7; Juan 17:16; Sant. 4:4.)

Saúl primer rey de Israel

1. ¿Qué está haciendo Samuel en la lámina, y por qué?
2. ¿Por qué le agrada Saúl a Jehová, y qué clase de hombre es?

3. ¿Cómo se llama el hijo de Saúl, y qué hace?

4. ¿Por qué ofrece Saúl el sacrificio en lugar de esperar a que lo haga Samuel?

5. ¿Qué lecciones aprendemos del relato de Saúl?

Preguntas adicionales:

1. *Leer 1 Samuel 9:15-21 y 10:17-27.*

¿Cómo ayudó la modestia de Saúl a que evitara una acción precipitada cuando ciertos hombres hablaron de él con falta de respeto? (1 Sam. 9:21; 10:21, 22, 27; Pro. 17:27.)

2. *Leer 1 Samuel 13:5-14.*

¿Qué pecado cometió Saúl en Guilgal? (1 Sam. 10:8; 13:8, 9, 13.)

3. *Leer 1 Samuel 15:1-35.*

a) ¿Qué grave pecado cometió Saúl con relación a Agag, el rey de Amaleq? (1 Sam. 15:2, 3, 8, 9, 22.)

b) ¿Cómo trató Saúl de justificar sus acciones y echar la culpa a otros? (1 Sam. 15:24.)

c) ¿A qué advertencia debemos prestar atención cuando se nos dé algún consejo? (1 Sam. 15:19-21; Sal. 141:5; Pro. 9:8, 9; 11:2.)

Dios escoge a David

1. ¿Cómo se llama el muchacho de la lámina, y cómo sabemos que es valiente?

2. ¿Dónde vive David, y cómo se llaman su padre y su abuelo?

3. ¿Por qué le dice Jehová a Samuel que vaya a la casa de Jesé en Belén?

4. ¿Qué sucede cuando Jesé lleva ante Samuel a siete de sus hijos?

5. ¿Qué le dice Jehová a Samuel cuando traen a David?

Preguntas adicionales:

1. *Leer 1 Samuel 17:34, 35.*

¿Cómo destacan estos sucesos el valor y la confianza que David tenía en Jehová? (1 Sam. 17:37.)

2. *Leer 1 Samuel 16:1-14.*

a) ¿Cómo nos ayudan las palabras de Jehová consignadas en 1 Samuel 16:7 a ser imparciales y a no juzgar por las apariencias? (Hech. 10:34, 35; 1 Tim. 2:4.)

b) ¿Cómo muestra el ejemplo de Saúl que cuando Jehová retira de una persona su espíritu santo, puede tomar su lugar un espíritu malo, es decir, un impulso interno de hacer el mal? (1 Sam. 16:14; Mat. 12:43-45; Gál. 5:16.)

David y Goliat

1. ¿Qué desafío lanza Goliat al ejército israelita?
2. ¿Cuánto mide Goliat, y qué premio dará Saúl al hombre que lo mate?
3. ¿Qué responde David cuando Saúl le dice que no puede pelear contra Goliat porque solo es un niño?
4. ¿Cómo muestra David confianza en Jehová al responder a Goliat?
5. Según muestra la lámina, ¿qué usa David para matar a Goliat, y qué ocurre después con los filisteos?

Preguntas adicionales:

1. *Leer 1 Samuel 17:1-54.*

a) ¿Cuál era el secreto de la audacia de David, y cómo podemos imitar su valor? (1 Sam. 17:37, 45; Efe. 6:10, 11.)

b) ¿Por qué deben los cristianos evitar un espíritu competitivo, como el de Goliat, cuando participan en juegos u otras formas de esparcimiento? (1 Sam. 17:8; Gál. 5:26; 1 Tim. 4:8.)

c) ¿Cómo indican las palabras de David que confiaba en que Dios lo ayudaría? (1 Sam. 17:45-47; 2 Cró. 20:15.)

d) En vez de describir simplemente un conflicto entre dos ejércitos enemigos, ¿cómo muestra este relato que en realidad la batalla fue entre los dioses falsos y el Dios verdadero, Jehová? (1 Sam. 17:43, 46, 47.)

e) ¿Cómo imita el resto ungido el ejemplo de David, quien demostró confianza en Jehová? (1 Sam. 17:37; Jer. 1:17-19; Rev. 12:17.)

Por qué huye David

1. ¿Por qué envidia Saúl a David, pero en qué difiere de él su hijo Jonatán?
2. ¿Qué sucede cierto día en que David está tocando el arpa para Saúl?

3. ¿Qué dice Saúl que debe hacer David antes de casarse con su hija Mical, y por qué lo dice?

4. Según muestra la lámina, ¿qué sucede por tercera vez un día que David toca el arpa para Saúl?

5. ¿Cómo salva Mical la vida de David, y qué tiene que hacer David durante siete años?

Preguntas adicionales:

1. *Leer 1 Samuel 18:1-30.*

a) ¿De qué manera prefiguró el amor inquebrantable de Jonatán por David el amor entre las "otras ovejas" y el "rebaño pequeño"? (1 Sam. 18:1; Juan 10:16; Luc. 12:32; Zac. 8:23.)

b) Puesto que Jonatán habría sido el heredero de Saúl, ¿cómo destaca 1 Samuel 18:4 su excepcional sumisión al elegido para ser rey?

c) ¿Cómo muestra el ejemplo de Saúl que la envidia puede llevar a pecados graves, y qué advertencia nos da este relato? (1 Sam. 18: 7-9, 25; Sant. 3:14-16.)

2. *Leer 1 Samuel 19:1-17.*

¿De qué manera arriesgó su vida Jonatán cuando dijo las palabras registradas en 1 Samuel 19:4, 5? (1 Sam. 19:1, 6.)

Historia 60

Abigaíl y David

1. ¿Cómo se llama la mujer de la lámina que va a ver a David, y cómo es ella?

2. ¿Quién es Nabal?

3. ¿Por qué envía David a algunos de sus hombres a pedir un favor a Nabal?

4. ¿Qué dice Nabal a los hombres de David, y cómo reacciona David?

5. ¿Cómo muestra Abigaíl que es una mujer sabia?

Preguntas adicionales:

1. *Leer 1 Samuel 22:1-4.*

¿Qué ejemplo encontramos en la familia de David sobre cómo debemos apoyarnos unos a otros en la hermandad cristiana? (Pro. 17:17; 1 Tes. 5:14.)

2. *Leer 1 Samuel 25:1-43.*

a) ¿Por qué se describe a Nabal con tanto desprecio? (1 Sam. 25: 2-5, 10, 14, 21, 25.)

b) ¿Qué pueden aprender las esposas cristianas del ejemplo de Abigaíl (Abigail)? (1 Sam. 25:32, 33; Pro. 31:26; Efe. 5:24.)

c) ¿Qué dos cosas malas impidió Abigaíl (Abigail) que hiciera David? (1 Sam. 25:31, 33; Rom. 12:19; Efe. 4:26.)

d) ¿Cómo ayuda a los varones a tener el punto de vista de Jehová sobre la mujer la reacción de David a las palabras de Abigaíl (Abigail)? (Hech. 21:8, 9; Rom. 2:11; 1 Ped. 3:7.)

Historia 61

David hecho rey

1. ¿Qué hicieron David y Abisai mientras Saúl dormía en su campamento?

2. ¿Qué preguntas le hace David a Saúl?

3. ¿Adónde va David después de hablar con Saúl?

4. ¿Por qué se pone muy triste David y escribe una hermosa canción?

5. ¿Cuántos años tiene David cuando lo hacen rey en Hebrón, y cómo se llaman algunos de sus hijos?

6. ¿Dónde gobierna David después?

Preguntas adicionales:

1. *Leer 1 Samuel 26:1-25.*

a) ¿Qué actitud para con el orden teocrático manifiestan las palabras de David registradas en 1 Samuel 26:11? (Sal. 37:7; Rom. 13:2.)

b) Si nos esforzamos sinceramente por expresar bondad amorosa pero no se nos agradece, ¿cómo pueden ayudarnos las palabras de David en 1 Samuel 26:23 a mantener un punto de vista correcto? (1 Rey. 8:32; Sal. 18:20.)

2. *Leer 2 Samuel 1:26.*

¿Cómo pueden los cristianos cultivar la misma clase de "amor intenso unos para con otros" que tuvieron David y Jonatán? (1 Ped. 4:8; Col. 3:14; 1 Juan 4:12.)

3. *Leer 2 Samuel 5:1-10.*

a) ¿Cuántos años reinó David, y en qué etapas se divide su reinado? (2 Sam. 5:4, 5.)

b) ¿A qué se atribuye la grandeza de David, y qué nos recuerda eso hoy día? (2 Sam. 5:10; 1 Sam. 16:13; 1 Cor. 1:31; Fili. 4:13.)

Ayes en la casa de David

1. Con la ayuda de Jehová, ¿qué sucede finalmente en la tierra de Canaán?

2. ¿Qué sucede una tarde, cuando David está en la azotea de su palacio?

3. ¿Por qué se enoja mucho Jehová con David?

4. ¿Quién es el hombre de la lámina a quien Jehová envía para hablarle a David sobre sus pecados, y qué dice él que le pasará a David?

5. ¿Qué dificultades tiene David?

6. ¿Quién llega a ser rey de Israel después de David?

Preguntas adicionales:

1. *Leer 2 Samuel 11:1-27.*

a) ¿Cómo nos protege el mantenernos ocupados en el servicio a Jehová?

b) ¿De qué forma se vio David atraído al pecado, y qué advertencia nos da a los siervos de Jehová de hoy día lo que le pasó? (2 Sam. 11:2; Mat. 5:27-29; 1 Cor. 10:12; Sant. 1:14, 15.)

2. *Leer 2 Samuel 12:1-18.*

a) ¿Qué lección pueden aprender los ancianos y los padres del modo como Natán aconsejó a David? (2 Sam. 12:1-4; Pro. 12:18; Mat. 13:34.)

b) ¿Por qué mostró Jehová misericordia a David? (2 Sam. 12:13; Sal. 32:5; 2 Cor. 7:9, 10.)

El sabio rey Salomón

1. ¿Qué pregunta le hace Jehová a Salomón, y cómo responde?

2. Puesto que a Jehová le agrada la petición de Salomón, ¿qué promete darle?

3. ¿Qué difícil problema presentan dos mujeres a Salomón?

4. Según se puede ver en la lámina, ¿cómo resuelve Salomón el problema?

5. ¿Cómo es la gobernación de Salomón, y por qué?

Preguntas adicionales:

1. *Leer 1 Reyes 3:3-28.*

a) ¿Qué lección encierra para los hombres a quienes se han confiado responsabilidades en la organización de Dios las sinceras palabras de Salomón en 1 Reyes 3:7? (Sal. 119:105; Pro. 3:5, 6.)

b) ¿Por qué es la petición de Salomón un buen ejemplo de las cosas por las cuales es apropiado orar? (1 Rey. 3:9, 11; Pro. 30:8, 9; 1 Juan 5:14.)

c) ¿Qué confianza nos da respecto a la futura gobernación del Salomón Mayor, Jesucristo, la forma en que Salomón resolvió la disputa entre las dos mujeres? (1 Rey. 3:28; Isa. 9:6, 7; 11:2-4.)

2. *Leer 1 Reyes 4:29-34.*

a) ¿Cómo contestó Jehová la petición que le hizo Salomón de un corazón obediente? (1 Rey. 4:29.)

b) En vista del esfuerzo que hizo la gente por oír la sabiduría de Salomón, ¿cuál debe ser nuestra actitud con respecto al estudio de la Palabra de Dios? (1 Rey. 4:29, 34; Juan 17:3; 2 Tim. 3:16.)

Historia 64

Salomón edifica el templo

1. ¿Cuánto tiempo le lleva a Salomón la construcción del templo de Jehová, y por qué cuesta tanto dinero?

2. ¿Cuántos cuartos principales hay en el templo, y qué se pone en el cuarto interior?

3. ¿Qué dice Salomón en su oración cuando el templo está terminado?

4. ¿Cómo muestra Jehová que está contento con la oración de Salomón?

5. ¿Qué logran las esposas de Salomón que haga él, y qué le sucede?

6. ¿Por qué se enoja Jehová con Salomón, y qué le dice?

Preguntas adicionales:

1. *Leer 1 Crónicas 28:9, 10.*

En vista de las palabras de David registradas en 1 Crónicas 28: 9, 10, ¿qué debemos esforzarnos por hacer en nuestra vida diaria? (Sal. 19:14; Fili. 4:8, 9.)

2. *Leer 2 Crónicas 6:12-21, 32-42.*

a) ¿Cómo mostró Salomón que ningún edificio construido por el hombre puede alojar al Dios Altísimo? (2 Cró. 6:18; Hech. 17:24, 25.)

b) ¿Qué nos enseñan de Jehová las palabras de Salomón en 2 Crónicas 6:32, 33? (Hech. 10:34, 35; Gál. 2:6.)

3. *Leer 2 Crónicas 7:1-5.*

Tal como los hijos de Israel se sintieron impulsados a alabar a Jehová cuando vieron su gloria, ¿qué efecto debería tener en nosotros ver la bendición de Jehová sobre su pueblo? (2 Cró. 7:3; Sal. 22:22; 34:1; 96:2.)

4. *Leer 1 Reyes 11:9-13.*

¿Cómo muestra la vida de Salomón la importancia de permanecer fieles hasta el fin? (1 Rey. 11:4, 9; Mat. 10:22; Rev. 2:10.)

Historia 65

El reino se divide

1. ¿Cómo se llaman los dos hombres de la lámina, y quiénes son?
2. ¿Qué hace Ahías con el vestido que lleva, y qué significado tiene su acción?
3. ¿Qué trata de hacer Salomón con Jeroboán?
4. ¿Por qué hace la gente rey sobre diez tribus a Jeroboán?
5. ¿Por qué hace Jeroboán dos becerros de oro, y qué ocurre con el país poco después?
6. ¿Qué sucede con el reino de dos tribus y con el templo de Jehová en Jerusalén?

Preguntas adicionales:

1. *Leer 1 Reyes 11:26-43.*

¿Qué clase de persona fue Jeroboán, y qué le prometió Jehová si cumplía Sus leyes? (1 Rey. 11:28, 38.)

2. *Leer 1 Reyes 12:1-33.*

a) ¿Qué pueden aprender los padres y los ancianos del mal ejemplo de Roboam (Rehoboam) en lo que respecta al abuso de autoridad? (1 Rey. 12:13; Ecl. 7:7; 1 Ped. 5:2, 3.)

b) ¿A quién deben acudir los jóvenes en busca de guía confiable al tomar decisiones importantes en su vida? (1 Rey. 12:6, 7; Pro. 1:8, 9; 2 Tim. 3:16, 17; Heb. 13:7.)

c) ¿Por qué estableció Jeroboán dos centros de adoración de becerros, y cómo mostró esta acción una enorme falta de fe en Jehová? (1 Rey. 11:37; 12:26-28.)

d) ¿Quién encabezó la rebelión del reino de diez tribus contra la adoración verdadera? (1 Rey. 12:32, 33.)

Jezabel la reina inicua

1. ¿Quién es Jezabel?
2. ¿Por qué está triste un día el rey Acab?
3. ¿Qué hace Jezabel para conseguirle a su esposo Acab la viña de Nabot?
4. ¿A quién envía Jehová para castigar a Jezabel?
5. Según se ve en la lámina, ¿qué ocurre cuando Jehú llega al palacio de Jezabel?

Preguntas adicionales:

1. *Leer 1 Reyes 16:29-33 y 18:3, 4.*

¿Hasta qué punto eran malas las condiciones en Israel durante el tiempo del rey Acab? (1 Rey. 14:9.)

2. *Leer 1 Reyes 21:1-16.*

a) ¿Cómo mostró Nabot valor y lealtad a Jehová? (1 Rey. 21:1-3; Lev. 25:23-28.)

b) ¿Qué nos enseña el ejemplo de Acab sobre cómo afrontar las desilusiones? (1 Rey. 21:4; Rom. 5:3-5.)

3. *Leer 2 Reyes 9:30-37.*

¿Qué aprendemos del celo con que Jehú llevó a cabo la voluntad de Jehová? (2 Rey. 9:4-10; 2 Cor. 9:1, 2; 2 Tim. 4:2.)

Josafat confía en Jehová

1. ¿Quién es Josafat, y en qué tiempo vive?
2. ¿Por qué tienen miedo los israelitas, y qué hacen muchos de ellos?
3. ¿Cómo responde Jehová a la oración de Josafat?
4. ¿Qué hace Jehová que ocurra antes de la batalla?
5. ¿Qué lección aprendemos de Josafat?

Preguntas adicionales:

1. *Leer 2 Crónicas 20:1-30.*

a) ¿Cómo demostró Josafat (Jehosafat) lo que deben hacer los siervos de Dios al afrontar alguna amenaza? (2 Cró. 20:12; Sal. 25:15; 62:1.)

b) Puesto que Jehová siempre ha usado un medio para comunicarse con su pueblo, ¿cuál es el que emplea hoy día? (2 Cró. 20:14, 15; Mat. 24:45-47; Juan 15:15.)

c) Cuando Jehová emprenda la "guerra del gran día de Dios el Todopoderoso", ¿en qué se parecerá nuestra situación a la de Josafat (Jehosafat)? (2 Cró. 20:15, 17; 32:8; Rev. 16:14, 16.)

d) A imitación de los levitas, ¿de qué forma contribuyen a la predicación mundial los precursores y misioneros? (2 Cró. 20:19; Rom. 10:13-15; 2 Tim. 4:2.)

Historia 68

Dos niños vuelven a vivir

1. ¿Quiénes son las tres personas de la lámina, y qué le pasa al niño un día?

2. ¿Qué pide Elías en oración con respecto al niño, y qué ocurre después?

3. ¿Cómo se llama el ayudante de Elías?

4. ¿Por qué se pide a Eliseo que vaya a la casa de una mujer de Sunem?

5. ¿Qué hace Eliseo, y qué sucede con el niño que ha muerto?

6. ¿Qué poder tiene Jehová, tal como demostró mediante Elías y Eliseo?

Preguntas adicionales:

1. *Leer 1 Reyes 17:8-24.*

a) ¿Cómo se puso a prueba la obediencia y la fe de Elías? (1 Rey. 17:9; 19:1-4, 10.)

b) ¿Por qué fue sobresaliente la fe de la viuda de Sarepta? (1 Rey. 17:12-16; Luc. 4:25, 26.)

c) ¿Cómo confirma la experiencia de la viuda de Sarepta las palabras de Jesús registradas en Mateo 10:41, 42? (1 Rey. 17:10-12, 17, 23, 24.)

2. *Leer 2 Reyes 4:8-37.*

a) ¿Qué nos enseña la mujer de Sunem en cuanto a la hospitalidad? (2 Rey. 4:8; Luc. 6:38; Rom. 12:13; 1 Juan 3:17.)

b) ¿Qué acciones bondadosas podemos efectuar para con los siervos de Dios hoy día? (Hech. 20:35; 28:1, 2; Gál. 6:9, 10; Heb. 6:10.)

La niña ayuda al grande

1. ¿Qué está diciendo la niña de la lámina a la señora?

2. ¿Quién es la señora de la lámina, y por qué está la niña en su casa?

3. ¿Qué le manda Eliseo a su siervo que le diga a Naamán, y por qué se enoja Naamán?

4. ¿Qué sucede cuando Naamán presta atención a sus siervos?

5. ¿Por qué rechaza Eliseo el regalo de Naamán, pero qué hace Guejazi?

6. ¿Qué le ocurre a Guejazi, y qué aprendemos de lo que le pasó?

Preguntas adicionales:

1. *Leer 2 Reyes 5:1-27.*

a) ¿Cómo puede animar a los jóvenes el ejemplo de la muchacha israelita? (2 Rey. 5:3; Sal. 8:2; 148:12, 13.)

b) ¿Por qué es conveniente recordar el ejemplo de Naamán cuando nos den algún consejo basado en la Biblia? (2 Rey. 5:15; Heb. 12: 5, 6; Sant. 4:6.)

c) ¿Qué lecciones aprendemos al ver el contraste entre el ejemplo de Eliseo y el de Guejazi (Guehazí)? (2 Rey. 5:9, 10, 14-16, 20; Mat. 10:8; Hech. 5:1-5; 2 Cor. 2:17.)

Jonás y el gran pez

1. ¿Quién es Jonás, y qué le manda Jehová?

2. Como no quiere ir a donde Jehová lo envía, ¿qué hace Jonás?

3. ¿Qué pide Jonás a los marineros que hagan para que se detenga la tormenta?

4. Como puede verse en la lámina, ¿qué sucede cuando Jonás se hunde en el agua?

5. ¿Cuánto tiempo pasa Jonás dentro del gran pez, y qué hace allí?

6. ¿Adónde va Jonás después de salir del gran pez, y qué nos enseña esto?

Preguntas adicionales:

1. *Leer Jonás 1:1-17.*

Según parece, ¿qué opinaba Jonás de su asignación de predicar a los ninivitas? (Jon. 1:2, 3; Pro. 3:7; Ecl. 8:12.)

2. *Leer Jonás 2:1, 2, 10.*

¿Cómo nos muestra la experiencia de Jonás que podemos confiar en que Jehová contestará nuestras oraciones? (Sal. 22:24; 34:6; 1 Juan 5:14.)

3. *Leer Jonás 3:1-10.*

a) ¿De qué manera nos anima el hecho de que Jehová siguiera usando a Jonás a pesar de no cumplir inicialmente con su asignación? (Sal. 103:14; 1 Ped. 5:10.)

b) ¿Qué nos enseña la experiencia de Jonás y los ninivitas respecto a prejuzgar a la gente de nuestro territorio? (Jon. 3:6-9; Ecl. 11:6; Hech. 13:48.)

Historia 71

Dios promete un paraíso

1. ¿Quién fue Isaías, cuándo vivió, y qué le mostró Jehová?

2. ¿Qué significa la palabra *paraíso,* y qué nos recuerda?

3. ¿Qué le dijo Jehová a Isaías que escribiera acerca del nuevo Paraíso?

4. ¿Por qué perdieron Adán y Eva su hermoso hogar?

5. ¿Qué promete Jehová para los que lo aman?

Preguntas adicionales:

1. *Leer Isaías 11:6-9.*

a) ¿Cómo describe la Palabra de Dios la paz que existirá entre el hombre y los animales en el nuevo mundo? (Sal. 148:10, 13; Isa. 65:25; Eze. 34:25.)

b) ¿Qué cumplimiento espiritual están teniendo las palabras de Isaías en el pueblo de Jehová? (Rom. 12:2; Efe. 4:23, 24.)

c) ¿Quién merece la honra por la transformación de las personalidades tanto ahora como en el nuevo mundo? (Isa. 48:17, 18; Gál. 5: 22, 23; Fili. 4:7.)

2. *Leer Revelación 21:3, 4.*

a) ¿Cómo indican las Escrituras que el hecho de que Dios more con la humanidad significa que está presente en la Tierra en sentido figurado y no físico? (Lev. 26:11, 12; 2 Cró. 6:18; Isa. 66:1; Rev. 21: 2, 3, 22-24.)

b) ¿Qué clase de lágrimas y de dolor se eliminarán? (Luc. 8:49-52; Rom. 8:21, 22; Rev. 21:4.)

Dios ayuda a Ezequías

1. ¿Quién es el hombre de la lámina, y por qué se encuentra en grandes dificultades?

2. ¿Qué cartas ha puesto Ezequías delante de Dios, y qué le pide en oración?

3. ¿Qué clase de rey es Ezequías, y qué mensaje le envía Jehová mediante el profeta Isaías?

4. ¿Qué hace el ángel de Jehová con los asirios, como muestra la lámina?

5. Aunque el reino de dos tribus tiene paz por un tiempo, ¿qué sucede después de la muerte de Ezequías?

Preguntas adicionales:

1. *Leer 2 Reyes 18:1-36.*

a) ¿Cómo trata Rabsaqué, el portavoz asirio, de debilitar la fe de los israelitas? (2 Rey. 18:19, 21; Éxo. 5:2; Sal. 64:3.)

b) ¿Cómo siguen el ejemplo de Ezequías los testigos de Jehová al enfrentarse a opositores? (2 Rey. 18:36; Sal. 39:1; Pro. 26:4; 2 Tim. 2:24.)

2. *Leer 2 Reyes 19:1-37.*

a) En tiempos de angustia, ¿cómo imita el pueblo de Jehová de hoy día el ejemplo de Ezequías? (2 Rey. 19:1, 2; Pro. 3:5, 6; Heb. 10: 24, 25; Sant. 5:14, 15.)

b) ¿Qué triple derrota sufrió el rey Senaquerib, y a quién prefigura proféticamente? (2 Rey. 19:32, 35, 37; Rev. 20:2, 3.)

3. *Leer 2 Reyes 21:1-6, 16.*

¿Por qué puede afirmarse que Manasés fue uno de los reyes más malvados que reinaron en Jerusalén? (2 Cró. 33:4-6, 9.)

Último buen rey de Israel

1. ¿Cuántos años tiene Josías cuando llega a ser rey, y qué empieza a hacer después de reinar por siete años?

2. ¿Qué está haciendo Josías en la primera lámina?

3. ¿Qué encuentra el sumo sacerdote cuando están reparando el templo?

4. ¿Por qué se rasga la ropa Josías?

5. ¿Qué mensaje de Jehová le da a Josías la profetisa Hulda?

Preguntas adicionales:

1. *Leer 2 Crónicas 34:1-28.*

a) ¿Qué ejemplo suministra Josías para quienes hayan tenido una infancia difícil? (2 Cró. 33:21-25; 34:1, 2; Sal. 27:10.)

b) ¿Qué medidas importantes tomó Josías para promover la adoración verdadera en los años ocho, doce y dieciocho de su reinado? (2 Cró. 34:3, 8.)

c) ¿Qué lecciones aprendemos de los ejemplos del rey Josías y el sumo sacerdote Hilcías (Hilquías) respecto a ocuparse del mantenimiento de los lugares de culto? (2 Cró. 34:9-13; Pro. 11:14; 1 Cor. 10:31.)

Historia 74

Un hombre que no teme

1. ¿Quién es el joven de la lámina?

2. ¿Qué le parece a Jeremías la idea de ser profeta, pero qué le dice Jehová?

3. ¿Qué mensaje sigue dando Jeremías al pueblo?

4. ¿Cómo tratan los sacerdotes de detener a Jeremías, pero cómo demuestra que no tiene miedo?

5. ¿Qué les sucede a los israelitas por no dejar de hacer cosas malas?

Preguntas adicionales:

1. *Leer Jeremías 1:1-8.*

a) Como muestra el ejemplo de Jeremías, ¿qué capacita a una persona para el servicio a Jehová? (2 Cor. 3:5, 6.)

b) ¿Cómo anima a los jóvenes cristianos el ejemplo de Jeremías? (Ecl. 12:1; 1 Tim. 4:12.)

2. *Leer Jeremías 10:1-5.*

¿Qué impactante ilustración usa Jeremías para mostrar lo inútil que es confiar en los ídolos? (Jer. 10:5; Isa. 46:7; Hab. 2:19.)

3. *Leer Jeremías 26:1-16.*

a) Al proclamar hoy día el mensaje de advertencia, ¿cómo ha tomado a pecho el resto ungido el mandato que Jehová le dio a Jeremías de 'no quitar palabra alguna'? (Jer. 26:2; Deu. 4:2; Hech. 20:27.)

b) ¿Qué buen ejemplo puso Jeremías para los testigos de Jehová de la actualidad al proclamar la advertencia de Jehová a las naciones? (Jer. 26:8, 12, 14, 15; 2 Tim. 4:1-5.)

4. *Leer 2 Reyes 24:1-17.*

¿Qué tristes consecuencias tuvo la deslealtad a Jehová que demostró Judá? (2 Rey. 24:2-4, 14.)

Historia 75

Cuatro niños en Babilonia

1. ¿Quiénes son los cuatro niños de la lámina, y por qué están en Babilonia?

2. ¿Qué planes tiene Nabucodonosor para los cuatro niños, y qué ordena a sus siervos?

3. ¿Qué pide Daniel con relación a la comida y la bebida de él y de sus tres amigos?

4. Después de comer vegetales por diez días, ¿cómo están Daniel y sus tres amigos en comparación con los demás jóvenes?

5. ¿Por qué llevan a Daniel y sus tres amigos al palacio del rey, y en qué sentido son mejores que los sacerdotes y los sabios?

Preguntas adicionales:

1. *Leer Daniel 1:1-21.*

a) ¿Qué esfuerzo debemos hacer para resistir las tentaciones y superar las debilidades? (Dan. 1:8; Gén. 39:7, 10; Gál. 6:9.)

b) ¿De qué forma pudieran verse tentados o presionados los jóvenes a participar en lo que algunos consideran "manjares"? (Dan. 1:8; Pro. 20:1; 2 Cor. 6:17–7:1.)

c) ¿Qué nos ayuda a comprender el relato bíblico de los cuatro jóvenes hebreos respecto a la adquisición de conocimiento seglar? (Dan. 1:20; Isa. 54:13; 1 Cor. 3:18-20.)

Historia 76

Jerusalén destruida

1. ¿Qué les está pasando a Jerusalén y a los israelitas de la lámina?

2. ¿Quién es Ezequiel, y qué cosas terribles le muestra Jehová?

3. Como los israelitas no respetan a Jehová, ¿qué promete él?

4. ¿Qué hace el rey Nabucodonosor después de que los israelitas se rebelan contra él?

5. ¿Por qué deja Jehová que les venga esta terrible destrucción a los israelitas?

6. ¿Por qué se queda sin gente la tierra de Israel, y por cuánto tiempo?

Preguntas adicionales:

1. *Leer 2 Reyes 25:1-26.*

a) ¿Quién era Sedequías, qué le sucedió, y cómo cumplió esto una profecía bíblica? (2 Rey. 25:5-7; Eze. 12:13-15.)

b) ¿A quién consideró Jehová responsable por todos los actos de deslealtad que cometió Israel? (2 Rey. 25:9, 11, 12, 18, 19; 2 Cró. 36: 14, 17.)

2. *Leer Ezequiel 8:1-18.*

¿De qué forma ha imitado la cristiandad a los israelitas apóstatas que adoraban al Sol? (Eze. 8:16; Isa. 5:20, 21; Juan 3:19-21; 2 Tim. 4:3.)

Nada los hizo inclinarse

1. ¿Qué mandato ha dado Nabucodonosor, el rey de Babilonia?

2. ¿Por qué no se están inclinando ante la imagen de oro los tres amigos de Daniel?

3. Cuando Nabucodonosor da a los tres hebreos otra oportunidad para inclinarse, ¿cómo demuestran que confían en Jehová?

4. ¿Qué manda Nabucodonosor que hagan sus hombres con Sadrac, Mesac y Abednego?

5. ¿Qué ve Nabucodonosor cuando mira dentro del horno?

6. ¿Por qué alaba el rey al Dios de Sadrac, Mesac y Abednego, y qué ejemplo nos dan ellos?

Preguntas adicionales:

1. *Leer Daniel 3:1-30.*

a) ¿Qué actitud de los tres jóvenes hebreos deberíamos imitar todos los siervos de Dios al afrontar pruebas de integridad? (Dan. 3: 17, 18; Mat. 10:28; Rom. 14:7, 8.)

b) ¿Qué importante lección enseñó Jehová Dios a Nabucodonosor? (Dan. 3:28, 29; 4:34, 35.)

Escritura en la pared

1. ¿Qué sucede cuando el rey de Babilonia da un gran banquete y usa las copas y los tazones del templo de Jehová que había en Jerusalén?

2. ¿Qué dice Belsasar a sus sabios, pero qué no pueden hacer?

3. ¿Qué le pide a Belsasar su madre?

4. Tal como le dice Daniel al rey, ¿por qué ha hecho Dios que una mano escriba en la pared?

5. ¿Cómo explica Daniel el significado de las palabras de la pared?

6. ¿Qué ocurre mientras Daniel todavía está hablando?

Preguntas adicionales:

1. *Leer Daniel 5:1-31.*

a) ¿Qué contraste hay entre el temor piadoso y el temor que sintió Belsasar cuando vio la escritura en la pared? (Dan. 5:6, 7; Sal. 19:9; Rom. 8:35-39.)

b) ¿Cómo manifestó Daniel mucho valor al hablar ante Belsasar y sus grandes? (Dan. 5:17, 18, 22, 26-28; Hech. 4:29.)

c) ¿De qué manera se pone de relieve la soberanía universal de Jehová en el capítulo 5 de Daniel? (Dan. 4:17, 25; 5:21.)

Daniel entre los leones

1. ¿Quién es Darío, y qué opinión tiene de Daniel?

2. ¿Qué logran unos hombres envidiosos que haga Darío?

3. ¿Qué hace Daniel cuando se entera de la nueva ley?

4. ¿Por qué se pone Darío tan triste que no puede dormir, y qué hace a la mañana siguiente?

5. ¿Qué responde Daniel a Darío?

6. ¿Qué ocurre con los hombres malos que trataron de matar a Daniel, y qué escribe Darío a toda la gente de su reino?

Preguntas adicionales:

1. *Leer Daniel 6:1-28.*

a) ¿Cómo nos recuerda la conspiración contra Daniel lo que han hecho los opositores para tratar de detener la obra de los testigos de Jehová de tiempos modernos? (Dan. 6:7; Sal. 94:20; Isa. 10:1; Rom. 8:31.)

b) ¿Cómo podemos los siervos de Dios imitar la postura de Daniel ante "las autoridades superiores"? (Dan. 6:5, 10; Rom. 13:1; Hech. 5:29.)

c) ¿Cómo podemos servir a Jehová "con constancia" como hizo Daniel? (Dan. 6:16, 20; Fili. 3:16; Rev. 7:15.)

Israel sale de Babilonia

1. Como puede verse en la lámina, ¿qué están haciendo los israelitas?

2. ¿Cómo cumplió Ciro la profecía de Jehová mediante Isaías?

3. ¿Qué dice Ciro a los israelitas que no pueden regresar a Jerusalén?

4. ¿Qué da Ciro a la gente para que se lleve a Jerusalén?

5. ¿Cuánto tiempo tardan los israelitas en llegar a Jerusalén?

6. ¿Cuántos años han pasado desde que la tierra se quedó sin gente?

Preguntas adicionales:

1. *Leer Isaías 44:28 y 45:1-4.*

a) ¿Cómo recalcó Jehová la certeza del cumplimiento de la profecía respecto a Ciro? (Isa. 55:10, 11; Rom. 4:17.)

b) ¿Qué muestra la profecía de Isaías respecto a Ciro en cuanto a la capacidad de Jehová de predecir el futuro? (Isa. 42:9; 45:21; 46:10, 11; 2 Ped. 1:20.)

2. *Leer Esdras 1:1-11.*

Siguiendo el ejemplo de los que no pudieron regresar a Jerusalén, ¿cómo podemos hoy día 'fortalecer las manos' de los que pueden emprender el servicio de tiempo completo? (Esd. 1:4, 6; Rom. 12:13; Col. 4:12.)

Confiando en ayuda divina

1. ¿Cuánta gente hace el largo viaje de Babilonia a Jerusalén, pero qué encuentran al llegar?

2. ¿Qué empiezan a construir los israelitas cuando llegan, pero qué hacen sus enemigos?

3. ¿Quiénes son Ageo y Zacarías, y qué le dicen a la gente?

4. ¿Por qué envía Tattenay una carta a Babilonia, y qué respuesta recibe?

5. ¿Qué hace Esdras cuando se entera de la necesidad de arreglar el templo de Dios?

6. Como se ve en la lámina, ¿qué pide Esdras a Jehová? ¿Cómo se contesta su oración? ¿Y qué nos enseña esto?

Preguntas adicionales:

1. *Leer Esdras 3:1-13.*

Si nos encontramos en un lugar donde no hay ninguna congregación del pueblo de Dios, ¿qué deberíamos seguir haciendo? (Esd. 3: 3, 6; Hech. 17:16, 17; Heb. 13:15.)

2. *Leer Esdras 4:1-7.*

¿Qué ejemplo puso Zorobabel para el pueblo de Jehová en lo que respecta a la unión de fes? (Éxo. 34:12; 1 Cor. 15:33; 2 Cor. 6:14-17.)

3. *Leer Esdras 5:1-5, 17 y 6:1-22.*

a) ¿Por qué no pudieron los opositores detener la construcción del templo? (Esd. 5:5; Isa. 54:17.)

b) ¿Cómo anima el ejemplo de los ancianos judíos a los ancianos cristianos a buscar la guía de Jehová cuando se enfrenten a oposición? (Esd. 6:14; Sal. 32:8; Rom. 8:31; Sant. 1:5.)

4. *Leer Esdras 8:21-23, 28-36.*

Antes de tomar decisiones importantes, ¿qué sería bueno que copiáramos del ejemplo de Esdras? (Esd. 8:23; Sal. 127:1; Pro. 10:22; Sant. 4:13-15.)

Mardoqueo y Ester

1. ¿Quiénes son Mardoqueo y Ester?

2. ¿Por qué quiere el rey Asuero una nueva esposa, y a quién elige?

3. ¿Quién es Hamán y por qué se enfurece?

4. ¿Qué ley se prepara, y qué hace Ester después de recibir un mensaje de Mardoqueo?

5. ¿Qué sucede con Hamán, y qué sucede con Mardoqueo?

6. ¿Cómo se salvan los israelitas de sus enemigos?

Preguntas adicionales:

1. *Leer Ester 2:12-18.*

¿Cómo se demostró en el caso de Ester el valor de cultivar un "espíritu quieto y apacible"? (Est. 2:15; 1 Ped. 3:1-5.)

2. *Leer Ester 4:1-17.*

Tal como a Ester se le dio la oportunidad de obrar a favor de la adoración verdadera, ¿qué oportunidad tenemos hoy día de expresar nuestra devoción y lealtad a Jehová? (Est. 4:13, 14; Mat. 5:14-16; 24:14.)

3. *Leer Ester 7:1-6.*

Al igual que Ester, ¿cómo se han expuesto a persecución muchos siervos de Dios de la actualidad? (Est. 7:4; Mat. 10:16-22; 1 Ped. 2: 12.)

Historia 83

Los muros de Jerusalén

1. ¿Cómo se sentían los israelitas por no tener muros alrededor de la ciudad de Jerusalén?

2. ¿Quién es Nehemías?

3. ¿Qué trabajo tiene Nehemías, y por qué es importante?

4. ¿Qué noticia entristece a Nehemías, y qué hace?

5. ¿Cómo muestra bondad a Nehemías el rey Artajerjes?

6. ¿Cómo organiza Nehemías la construcción para que los enemigos de los israelitas no puedan detenerla?

Preguntas adicionales:

1. *Leer Nehemías 1:4-6 y 2:1-20.*

¿Cómo buscó Nehemías la guía de Jehová? (Neh. 2:4, 5; Rom. 12:12; 1 Ped. 4:7.)

2. *Leer Nehemías 3:3-5.*

¿Qué pueden aprender los ancianos y los siervos ministeriales del contraste entre los teqoítas y sus "majestuosos"? (Neh. 3:5, 27; 2 Tes. 3:7-10; 1 Ped. 5:5.)

3. *Leer Nehemías 4:1-23.*

a) ¿Qué motivó a los israelitas a continuar con la construcción a pesar de la violenta oposición? (Neh. 4:6, 8, 9; Sal. 50:15; Isa. 65: 13, 14.)

b) ¿Cómo nos anima hoy el ejemplo de los israelitas?

4. *Leer Nehemías 6:15.*

¿Qué muestra respecto al poder de la fe el hecho de que los muros de Jerusalén se completaran antes de dos meses? (Sal. 56:3, 4; Mat. 17:20; 19:26.)

Un ángel visita a María

1. ¿Quién es la mujer de la lámina?

2. ¿Qué le dice Gabriel a María?

3. ¿Cómo le explica Gabriel a María que tendrá un bebé aunque no haya vivido con un hombre?

4. ¿Qué sucede cuando María visita a su pariente Elisabet?

5. ¿Qué piensa José cuando se entera de que María va a tener un bebé, pero por qué cambia de opinión?

Preguntas adicionales:

1. *Leer Lucas 1:26-56.*

a) ¿Qué indica Lucas 1:35 que sucedería con la imperfección adánica del óvulo de María cuando se transfiriera, desde el mundo espiritual, la vida del Hijo de Dios? (Ageo 2:11-13; Juan 6:69; Heb. 7:26; 10:5.)

b) ¿Cómo se honra a Jesús incluso antes de nacer? (Luc. 1:41-43.)

c) ¿Qué buen ejemplo puso María a los cristianos que reciben privilegios especiales de servicio? (Luc. 1:38, 46-49; 17:10; Pro. 11:2.)

2. *Leer Mateo 1:18-25.*

Aunque a Jesús no se le llamó Emmanuel, ¿cómo reflejó su vida humana el significado de este nombre? (Mat. 1:22, 23; Juan 14:8-10; Heb. 1:1-3.)

Jesús nace en un establo

1. ¿Quién es el bebé de la lámina, y dónde lo está acostando María?

2. ¿Por qué nació Jesús en un establo con animales?

3. ¿Quiénes son los hombres que están entrando en el establo, y qué les dijo un ángel?

4. ¿Por qué es especial Jesús?

5. ¿Por qué puede llamarse a Jesús el Hijo de Dios?

Preguntas adicionales:

1. *Leer Lucas 2:1-20.*

a) ¿Qué función desempeñó César Augusto en el cumplimiento de la profecía respecto al nacimiento de Jesús? (Luc. 2:1-4; Miq. 5:2.)

b) ¿Cómo puede alguien contarse entre aquellos a los que se llama "hombres de buena voluntad"? (Luc. 2:14; Mat. 16:24; Juan 17:3; Hech. 3:19; Heb. 11:6.)

c) Si aquellos humildes pastores de Judea tenían motivos para regocijarse por el nacimiento de un Salvador, ¿qué mayor motivo de alegría tienen los siervos de Dios en la actualidad? (Luc. 2:10, 11; Efe. 3:8, 9; Rev. 11:15; 14:6.)

Historia 86

Siguen una estrella

1. ¿Quiénes son los hombres de la lámina, y por qué está uno de ellos señalando a esa estrella tan brillante?

2. ¿Por qué se altera el rey Herodes, y qué hace?

3. ¿Adónde dirige a los hombres la brillante estrella, pero por qué regresan a su país por otro camino?

4. ¿Qué mandato da Herodes, y por qué?

5. ¿Qué le dice Jehová a José?

6. ¿Quién hizo que brillara aquella nueva estrella, y por qué?

Pregunta adicional:

1. *Leer Mateo 2:1-23.*

¿Qué edad tenía Jesús y dónde vivía cuando lo visitaron los astrólogos? (Mat. 2:1, 11, 16.)

Historia 87

Jesús joven en el templo

1. ¿Cuántos años tiene Jesús en está lámina, y dónde está?

2. ¿Qué hace José con su familia todos los años?

3. Después de llevar un día caminando de regreso a su casa, ¿por qué vuelven José y María a Jerusalén?

4. ¿Dónde encuentran José y María a Jesús, y por qué está la gente sorprendida?

5. ¿Qué le dice Jesús a su madre María?

6. ¿Cómo podemos seguir el ejemplo de Jesús al aprender de Dios?

Preguntas adicionales:

1. *Leer Lucas 2:41-52.*

a) Aunque la Ley solo exigía a los varones que asistieran a las fiestas anuales, ¿qué buen ejemplo dieron José y María para los padres de hoy día? (Luc. 2:41; Deu. 16:16; 31:12; Pro. 22:6.)

b) ¿Qué buen ejemplo puso Jesús a los jóvenes de hoy día en lo que respecta a la sujeción a los padres? (Luc. 2:51; Deu. 5:16; Pro. 23:22; Col. 3:20.)

2. *Leer Mateo 13:53-56.*

¿Qué cuatro hermanos carnales de Jesús se mencionan en la Biblia, y cómo se usó a dos de ellos posteriormente en la congregación cristiana? (Mat. 13:55; Hech. 12:17; 15:6, 13; 21:18; Gál. 1:19; Sant. 1:1; Jud. 1.)

Juan bautiza a Jesús

1. ¿Quiénes son los dos hombres de la lámina?
2. ¿Cómo se bautiza a una persona?
3. ¿A quiénes bautiza Juan normalmente?
4. ¿Por qué razón especial le pide Jesús a Juan que lo bautice?
5. ¿Cómo muestra Dios que le agrada que Jesús se haya bautizado?
6. ¿Qué ocurre cuando Jesús se va a un lugar solitario durante cuarenta días?
7. ¿Cuáles son algunos de los primeros seguidores o discípulos de Jesús, y cuál es su primer milagro?

Preguntas adicionales:

1. *Leer Mateo 3:13-17.*

¿Qué modelo dejó Jesús para el bautismo de sus discípulos? (Sal. 40:7, 8; Mat. 28:19, 20; Luc. 3:21, 22.)

2. *Leer Mateo 4:1-11.*

¿Por qué nos anima la habilidad de Jesús al usar las Escrituras a estudiar la Biblia con regularidad? (Mat. 4:5-7; 2 Ped. 3:17, 18; 1 Juan 4:1.)

3. *Leer Juan 1:29-51.*

¿Hacia quién dirigió Juan el Bautista a sus discípulos, y cómo podemos imitarlo nosotros? (Juan 1:29, 35, 36; 3:30; Mat. 23:10.)

4. *Leer Juan 2:1-12.*

¿Cómo mostró el primer milagro de Jesús que Jehová no retiene nada bueno de Sus siervos? (Juan 2:9, 10; Sal. 84:11; Sant. 1:17.)

Jesús limpia el templo

1. ¿Por qué se venden animales en el templo?
2. ¿Por qué se enoja Jesús?
3. Como se ve en la lámina, ¿qué hace Jesús, y qué manda hacer a los hombres que venden las palomas?
4. ¿Qué recuerdan los seguidores de Jesús cuando ven lo que él está haciendo?
5. ¿Por qué distrito pasa Jesús de regreso a Galilea?

Pregunta adicional:

1. *Leer Juan 2:13-25.*

En vista de la indignación de Jesús con los cambistas del templo, ¿cuál es el punto de vista apropiado sobre realizar actividades comerciales en el Salón del Reino? (Juan 2:15, 16; 1 Cor. 10:24, 31-33.)

Con la mujer en el pozo

1. ¿Por qué se ha detenido Jesús al lado de un pozo en Samaria, y qué le dice a una mujer que ha ido allí?
2. ¿Por qué se sorprende la mujer, qué le dice Jesús, y por qué?
3. ¿De qué clase de agua cree la mujer que está hablando Jesús, pero a qué agua se refiere él en realidad?
4. ¿Por qué se sorprende la mujer de lo que Jesús sabe de ella, y cómo consiguió Jesús esta información?
5. ¿Qué lecciones podemos aprender de este relato?

Preguntas adicionales:

1. *Leer Juan 4:5-43.*

a) Siguiendo el ejemplo de Jesús, ¿qué actitud debemos manifestar para con gente de otra raza o clase social? (Juan 4:9; 1 Cor. 9:22; 1 Tim. 2:3, 4; Tito 2:11.)

b) ¿De qué beneficios espirituales goza el que se hace discípulo de Jesús? (Juan 4:14; Isa. 58:11; 2 Cor. 4:16.)

c) ¿Cómo podemos mostrar el mismo aprecio que la samaritana, quien tuvo muchos deseos de compartir lo que había aprendido? (Juan 4:7, 28; Mat. 6:33; Luc. 10:40-42.)

Historia 91
Jesús enseña en una montaña

1. Según muestra la lámina, ¿dónde está enseñando Jesús, y quiénes son los que están sentados cerca de él?

2. ¿Cuáles son los nombres de los doce apóstoles?

3. ¿Qué es el Reino que predica Jesús?

4. ¿Qué enseña Jesús a la gente a pedir en oración?

5. ¿Qué dice Jesús en cuanto a cómo deben ser las personas unas con otras?

Preguntas adicionales:

1. *Leer Mateo 5:1-12.*

¿De qué maneras podemos mostrar que tenemos conciencia de nuestra necesidad espiritual? (Mat. 5:3; Rom. 10:13-15; 1 Tim. 4:13, 15, 16.)

2. *Leer Mateo 5:21-26.*

¿Cómo pone de relieve Mateo 5:23, 24 que la relación con nuestros hermanos afecta a nuestra relación con Jehová? (Mat. 6:14, 15; Sal. 133:1; Col. 3:13; 1 Juan 4:20.)

3. *Leer Mateo 6:1-8.*

¿Cuáles son algunas actitudes fariseas que deben evitar los cristianos? (Luc. 18:11, 12; 1 Cor. 4:6, 7; 2 Cor. 9:7.)

4. *Leer Mateo 6:25-34.*

¿Qué enseñó Jesús respecto a la necesidad de confiar en que Jehová nos proveerá lo necesario en sentido material? (Éxo. 16:4; Sal. 37:25; Fili. 4:6.)

5. *Leer Mateo 7:1-11.*

¿Qué nos enseña la gráfica ilustración de Jesús que encontramos en Mateo 7:5? (Pro. 26:12; Rom. 2:1; 14:10; Sant. 4:11, 12.)

Jesús levanta a los muertos

1. ¿Quién es el padre de la niña de la lámina, y por qué están muy preocupados él y su esposa?

2. ¿Qué hace Jairo cuando encuentra a Jesús?

3. ¿Qué ocurre mientras Jesús va a la casa de Jairo, y qué mensaje recibe Jairo en el camino?

4. ¿Por qué se ríe de Jesús la gente que está en la casa de Jairo?

5. Después de entrar en el cuarto de la niña con tres apóstoles y los padres de la pequeña, ¿qué hace Jesús?

6. ¿A quién más ha levantado Jesús de entre los muertos, y qué muestra esto?

Preguntas adicionales:

1. *Leer Lucas 8:40-56.*

¿Por qué puede decirse que Jesús fue compasivo y razonable con la mujer que tenía el flujo de sangre, y qué pueden aprender de esto los ancianos cristianos? (Luc. 8:43, 44, 47, 48; Lev. 15:25-27; Mat. 9:12, 13; Col. 3:12-14.)

2. *Leer Lucas 7:11-17.*

¿Por qué pueden hallar mucho consuelo quienes han perdido a algún ser querido en la muerte al ver la reacción de Jesús ante la viuda de Naín? (Luc. 7:13; 2 Cor. 1:3, 4; Heb. 4:15.)

3. *Leer Juan 11:17-44.*

¿Cómo demostró Jesús que es normal llorar la muerte de un ser querido? (Juan 11:33-36, 38; 2 Sam. 18:33; 19:1-4.)

Jesús alimenta a muchos

1. ¿Qué cosa tan terrible ha pasado con Juan el Bautizante, y cómo se siente Jesús?

2. ¿Cómo alimenta Jesús a las muchedumbres que lo han seguido, y cuánta comida sobra?

3. ¿Por qué tienen miedo los discípulos por la noche, y qué ocurre con Pedro?

4. ¿Cómo alimenta Jesús a miles de personas por segunda vez?

5. ¿Por qué será maravilloso cuando Jesús gobierne la Tierra como el Rey elegido por Dios?

Preguntas adicionales:

1. *Leer Mateo 14:1-32.*

a) ¿Qué revela el relato de Mateo 14:23-32 acerca de la personalidad de Pedro?

b) ¿Cómo indica el registro bíblico que Pedro maduró y controló su impulsividad? (Mat. 14:27-30; Juan 18:10; 21:7; Hech. 2:14, 37-40; 1 Ped. 5:6, 10.)

2. *Leer Mateo 15:29-38.*

¿Cómo mostró respeto Jesús por las provisiones materiales de su Padre? (Mat. 15:37; Juan 6:12; Col. 3:15.)

3. *Leer Juan 6:1-21.*

¿Cómo podemos los cristianos seguir el ejemplo de Jesús con respecto a los gobiernos? (Juan 6:15; Mat. 22:21; Rom. 12:2; 13:1-4.)

Historia 94

Ama a los niñitos

1. ¿Por qué discuten los apóstoles mientras vuelven de un largo viaje?

2. ¿Por qué llama Jesús a un niño y lo pone en medio de los apóstoles?

3. ¿En qué sentido deben ser los apóstoles como los niños?

4. Unos meses después, ¿cómo muestra Jesús que ama a los niños?

Preguntas adicionales:

1. *Leer Mateo 18:1-4.*

¿Por qué usaba Jesús ilustraciones para enseñar? (Mat. 13:34, 36; Mar. 4:33, 34.)

2. *Leer Mateo 19:13-15.*

¿Qué cualidades de los niños debemos imitar si queremos recibir las bendiciones del Reino? (Sal. 25:9; 138:6; 1 Cor. 14:20.)

3. *Leer Marcos 9:33-37.*

¿Qué enseñó Jesús a sus discípulos acerca de desear puestos de importancia? (Mar. 9:35; Mat. 20:25, 26; Gál. 6:3; Fili. 2:5-8.)

4. *Leer Marcos 10:13-16.*
¿Hasta qué grado era accesible Jesús, y qué pueden aprender de su ejemplo los ancianos cristianos? (Mar. 6:30-34; Fili. 2:1-4; 1 Tim. 4:12.)

Cómo enseña Jesús

1. ¿Qué pregunta le hace un hombre a Jesús, y por qué?
2. ¿Qué usa Jesús a veces para enseñar, y qué hemos aprendido acerca de los judíos y los samaritanos?
3. En el relato de Jesús, ¿qué le sucede a un judío que viaja por el camino que va a Jericó?
4. ¿Qué ocurre cuando un sacerdote judío y un levita pasan por ese camino?
5. En la lámina, ¿quien está ayudando al judío herido?
6. Cuando Jesús acaba el relato, ¿qué pregunta hace, y cómo responde el hombre?

Preguntas adicionales:

1. *Leer Lucas 10:25-37.*
a) En lugar de dar una respuesta directa, ¿cómo ayudó Jesús a razonar a un hombre entendido en la Ley? (Luc. 10:26; Mat. 16:13-16.)
b) ¿Cómo usaba Jesús las ilustraciones para vencer el prejuicio de sus oyentes? (Luc. 10:36, 37; 18:9-14; Tito 1:9.)

Jesús sana a los enfermos

1. ¿Qué hace Jesús al viajar por el país?
2. ¿Qué dice Jesús a los apóstoles unos tres años después de su bautismo?
3. ¿Quiénes son las personas de la lámina, y qué hace Jesús por la mujer?
4. ¿Por qué avergüenza a los líderes religiosos la contestación que les da Jesús?
5. Cuando Jesús y sus apóstoles están cerca de Jericó, ¿qué hace Jesús por dos mendigos ciegos?
6. ¿Por qué hace milagros Jesús?

Preguntas adicionales:

1. *Leer Mateo 15:30, 31.*

¿Qué maravillosa manifestación del poder de Jehová se revela mediante Jesús, y cómo debe afectar nuestro entendimiento de lo que Jehová ha prometido para el nuevo mundo? (Sal. 37:29; Isa. 33:24.)

2. *Leer Lucas 13:10-17.*

¿Cómo muestra el hecho de que Jesús efectuara algunos de sus mayores milagros en sábado la clase de alivio que traerá a la humanidad durante su Reinado Milenario? (Luc. 13:10-13; Sal. 46:9; Mat. 12:8; Col. 2:16, 17; Rev. 21:1-4.)

3. *Leer Mateo 20:29-34.*

¿Cómo muestra este relato que Jesús nunca estuvo demasiado ocupado para ayudar a la gente, y qué podemos aprender de ello? (Deu. 15:7; Sant. 2:15, 16; 1 Juan 3:17.)

Historia 97

Jesús viene como rey

1. Cuando Jesús llega a una pequeña aldea cercana a Jerusalén, ¿qué manda hacer a sus discípulos?

2. Como se ve en la lámina, ¿qué sucede cuando Jesús se acerca a la ciudad de Jerusalén?

3. ¿Qué hacen los niños cuando ven a Jesús sanando a personas ciegas y tullidas?

4. ¿Qué dice Jesús a los enojados sacerdotes?

5. ¿Cómo podemos nosotros ser como los niños que alabaron a Jesús?

6. ¿Qué quieren saber los discípulos?

Preguntas adicionales:

1. *Leer Mateo 21:1-17.*

a) ¿Qué diferencia hay entre la entrada de Jesús como rey en Jerusalén y la de los generales victoriosos de la antigua Roma? (Mat. 21:4, 5; Zac. 9:9; Fili. 2:5-8; Col. 2:15.)

b) ¿Qué lección pueden aprender los jóvenes de los niños israelitas que citaron del Salmo 118 cuando Jesús entró en el templo? (Mat. 21:9, 15; Sal. 118:25, 26; 2 Tim. 3:15; 2 Ped. 3:18.)

2. *Leer Juan 12:12-16.*

¿Qué simboliza el uso de ramas de palmera por parte de la gente que aclamó a Jesús? (Juan 12:13; Fili. 2:10; Rev. 7:9, 10.)

En el monte de los Olivos

1. ¿Cuál de los hombres de la lámina es Jesús, y quiénes son los que están con él?

2. ¿Qué trataron de hacer los sacerdotes con Jesús en el templo, y qué les dijo él?

3. ¿Qué preguntan los apóstoles a Jesús?

4. ¿Por qué dice Jesús a los apóstoles algunas de las cosas que ocurrirían en la Tierra cuando él estuviera reinando en el cielo?

5. ¿Qué dice Jesús que ocurrirá antes de que acabe con toda la maldad de la Tierra?

Preguntas adicionales:

1. *Leer Mateo 23:1-39.*

a) Aunque las Escrituras indican que el uso de títulos seglares puede ser apropiado, ¿qué muestran las palabras de Jesús en Mateo 23:8-11 respecto al uso de títulos halagadores en la congregación cristiana? (Hech. 26:25; Rom. 13:7; 1 Ped. 2:13, 14.)

b) ¿De qué se valieron los fariseos para tratar de impedir que las personas se hicieran cristianas, y cómo han usado tácticas parecidas los guías religiosos en la actualidad? (Mat. 23:13; Luc. 11:52; Juan 9:22; 12:42; 1 Tes. 2:16.)

2. *Leer Mateo 24:1-14.*

a) ¿Cómo destaca Mateo 24:13 la importancia del aguante?

b) ¿Qué significa la expresión "el fin" de Mateo 24:13? (Mat. 16:27; Rom. 14:10-12; 2 Cor. 5:10.)

3. *Leer Marcos 13:3-10.*

¿Qué expresión de Marcos 13:10 destaca la urgencia de predicar las buenas nuevas, y qué efecto deberían tener en nosotros las palabras de Jesús? (Rom. 13:11, 12; 1 Cor. 7:29-31; 2 Tim. 4:2.)

En un cuarto superior

1. Como se ve en la lámina, ¿por qué están Jesús y los doce apóstoles en un cuarto superior grande?

2. ¿Quién es el que está saliendo, y qué va a hacer?

3. ¿Qué comida especial empieza Jesús después de que se termina la cena pascual?

4. ¿Qué recordaban los israelitas en la Pascua, y qué les recordará esta comida especial a los seguidores de Jesús?

5. Después de la Cena del Señor, ¿qué dice Jesús a sus seguidores, y qué hacen ellos?

Preguntas adicionales:

1. *Leer Mateo 26:14-30.*

a) ¿Cómo muestra Mateo 26:15 que la traición de Judas a Jesús fue una acción deliberada?

b) ¿Qué doble propósito cumple la sangre derramada de Jesús? (Mat. 26:27, 28; Jer. 31:31-33; Efe. 1:7; Heb. 9:19, 20.)

2. *Leer Lucas 22:1-39.*

¿En qué sentido entró Satanás en Judas? (Luc. 22:3; Juan 13:2; Hech. 1:24, 25.)

3. *Leer Juan 13:1-20.*

a) En vista de lo que dice Juan 13:2, ¿puede culparse a Judas por lo que hizo, y qué lección aprendemos de ello los siervos de Dios? (Gén. 4:7; 2 Cor. 2:11; Gál. 6:1; Sant. 1:13, 14.)

b) ¿Qué impactante lección práctica dio Jesús? (Juan 13:15; Mat. 23:11; 1 Ped. 2:21.)

4. *Leer Juan 17:1-26.*

¿En qué sentido pidió Jesús que sus seguidores fueran "uno"? (Juan 17:11, 21-23; Rom. 13:8; 14:19; Col. 3:14.)

Jesús en el jardín

1. ¿Adónde van Jesús y sus apóstoles después de salir del cuarto superior, y qué les dice él que hagan?

2. ¿Con qué situación se encuentra Jesús cuando vuelve a donde están los apóstoles, y cuántas veces ocurre esto?

3. Como muestra la lámina, ¿quiénes entran en el jardín, y qué hace Judas Iscariote?

4. ¿Por qué besa Judas a Jesús, y qué hace Pedro?

5. ¿Qué le dice Jesús a Pedro, pero por qué no pide Jesús que Dios envíe a algún ángel?

Preguntas adicionales:

1. *Leer Mateo 26:36-56.*

a) ¿Por qué es un excelente ejemplo para los ancianos cristianos la manera en que Jesús aconsejó a sus discípulos? (Mat. 20:25-28; 26: 40, 41; Gál. 5:17; Efe. 4:29, 31, 32.)

b) ¿Cómo veía Jesús el uso de las armas contra el semejante? (Mat. 26:52; Luc. 6:27, 28; Juan 18:36.)

2. *Leer Lucas 22:39-53.*

¿Significa el hecho de que a Jesús se le apareciera un ángel en el jardín de Getsemaní para fortalecerlo que su fe estaba tambaleando? Explicarlo (Luc. 22:41-43; Isa. 49:8; Mat. 4:10, 11; Heb. 5:7).

3. *Leer Juan 18:1-12.*

¿Cómo protegió Jesús a sus discípulos de los opositores, y qué aprendemos de su ejemplo? (Juan 10:11, 12; 18:1, 6-9; Heb. 13:6; Sant. 2:25.)

Historia 101

Matan a Jesús

1. ¿Quién es el principal responsable de la muerte de Jesús?

2. ¿Qué hacen los apóstoles cuando los líderes religiosos se llevan a Jesús?

3. ¿Qué sucede en la casa del sumo sacerdote Caifás?

4. ¿Por qué se va Pedro y se echa a llorar?

5. Cuando llevan de nuevo a Jesús ante Pilato, ¿qué gritan los sacerdotes principales?

6. ¿Qué ocurre con Jesús temprano en la tarde del viernes, y qué le promete a un malhechor al que han colgado en un madero junto a él?

7. ¿Dónde estará el paraíso del que habló Jesús?

Preguntas adicionales:

1. *Leer Mateo 26:57-75.*

¿De qué forma mostraron los miembros del tribunal supremo judío que sus corazones eran malvados? (Mat. 26:59, 67, 68.)

2. *Leer Mateo 27:1-50.*

¿Por qué podemos decir que el remordimiento que sintió Judas no fue verdadero? (Mat. 27:3, 4; Mar. 3:29; 14:21; 2 Cor. 7:10, 11.)

3. *Leer Lucas 22:54-71.*

¿Qué lección aprendemos del hecho de que Pedro negara a Jesús la noche de su traición y arresto? (Luc. 22:60-62; Mat. 26:31-35; 1 Cor. 10:12.)

4. *Leer Lucas 23:1-49.*

¿Cómo reaccionó Jesús frente al trato injusto que recibió, y qué lección aprendemos de ello? (Luc. 23:33, 34; Rom. 12:17-19; 1 Ped. 2:23.)

5. *Leer Juan 18:12-40.*

¿Qué pone de manifiesto el hecho de que, aunque en un momento dado el temor al hombre paralizara a Pedro, él se recuperara y llegara a ser un apóstol excepcional? (Juan 18:25-27; 1 Cor. 4:2; 1 Ped. 3:14, 15; 5:8, 9.)

6. *Leer Juan 19:1-30.*

a) ¿Qué punto de vista equilibrado de los bienes materiales tenía Jesús? (Juan 2:1, 2, 9, 10; 19:23, 24; Mat. 6:31, 32; 8:20.)

b) ¿Por qué fueron las últimas palabras de Jesús una declaración triunfante de que había defendido la soberanía de Jehová? (Juan 16:33; 19:30; 2 Ped. 3:14; 1 Juan 5:4.)

Historia 102

Jesús está vivo

1. ¿Quién es la mujer de la lámina, quiénes son los dos hombres, y dónde están?

2. ¿Por qué ordena Pilato a los sacerdotes que envíen soldados para vigilar la tumba de Jesús?

3. ¿Qué hace un ángel temprano al tercer día de la muerte de Jesús, pero qué hacen los sacerdotes?

4. ¿Por qué se sorprenden unas mujeres al visitar la tumba de Jesús?

5. ¿Por qué corren Pedro y Juan a la tumba de Jesús, y qué descubren?

6. ¿Qué sucedió con el cuerpo de Jesús, y qué hace él para mostrar a los discípulos que está vivo?

Preguntas adicionales:

1. *Leer Mateo 27:62-66 y 28:1-15.*

Cuando Jesús resucitó, ¿de qué manera pecaron contra el espíritu santo los sacerdotes principales, los fariseos y los ancianos? (Mat. 12:24, 31, 32; 28:11-15.)

2. *Leer Lucas 24:1-12.*

¿Cómo muestra el relato de la resurrección de Jesús que para Jehová las mujeres son testigos confiables? (Luc. 24:4, 9, 10; Mat. 28:1-7.)

3. *Leer Juan 20:1-12.*

¿Cómo nos ayuda Juan 20:8, 9 a comprender la necesidad de ser pacientes si no entendemos totalmente el cumplimiento de una profecía bíblica? (Pro. 4:18; Mat. 17:22, 23; Luc. 24:5-8; Juan 16:12.)

Dentro, a puertas cerradas

1. ¿Qué dice María a un hombre que ella cree que es el jardinero, pero cómo se da cuenta de que en realidad es Jesús?

2. ¿Qué ocurre con dos discípulos que van caminando a la aldea de Emaús?

3. ¿Qué cosa sorprendente pasa cuando los dos discípulos dicen a los apóstoles que han visto a Jesús?

4. ¿Cuántas veces se ha aparecido Jesús a sus seguidores?

5. ¿Qué dice Tomás cuando oye que los discípulos han visto al Señor, pero qué ocurre ocho días después?

Preguntas adicionales:

1. *Leer Juan 20:11-29.*

¿Estaba diciendo Jesús en Juan 20:23 que los seres humanos están autorizados para perdonar pecados? Explicarlo (Sal. 49:2, 7; Isa. 55:7; 1 Tim. 2:5, 6; 1 Juan 2:1, 2).

2. *Leer Lucas 24:13-43.*

¿Cómo podemos preparar nuestro corazón para que sea receptivo a las verdades bíblicas? (Luc. 24:32, 33; Esd. 7:10; Mat. 5:3; Hech. 16:14; Heb. 5:11-14.)

Jesús vuelve al cielo

1. ¿Cuántos discípulos ven a Jesús en cierta ocasión, y de qué les habla?

2. ¿Qué es el Reino de Dios, y cómo será la vida en la Tierra cuando Jesús reine por mil años?

3. ¿Cuántos días lleva apareciéndose Jesús a sus discípulos, pero qué momento ha llegado?

4. ¿Qué mandato da Jesús a sus discípulos justo antes de dejarlos?

5. ¿Qué está ocurriendo en la lámina, y cómo desaparece Jesús de la vista?

Preguntas adicionales:

1. *Leer 1 Corintios 15:3-8.*

¿Por qué pudo el apóstol Pablo hablar con tanta seguridad acerca de la resurrección de Jesús, y de qué cosas pueden hablar con seguridad los cristianos hoy día? (1 Cor. 15:4, 7, 8; Isa. 2:2, 3; Mat. 24:14; 2 Tim. 3:1-5.)

2. *Leer Hechos 1:1-11.*

Tal como se predijo en Hechos 1:8, ¿hasta qué punto se extendió la predicación? (Hech. 6:7; 9:31; 11:19-21; Col. 1:23.)

Historia 105

Esperan en Jerusalén

1. Como muestra la lámina, ¿qué sucede con los seguidores de Jesús que han estado esperando en Jerusalén?

2. ¿Qué sorpresa se llevan los visitantes de Jerusalén?

3. ¿Qué explica Pedro a la gente?

4. ¿Cómo se sienten muchas personas después de escuchar a Pedro, y qué tienen que hacer?

5. ¿Cuántos se bautizan en el Pentecostés del año 33 E.C.?

Preguntas adicionales:

1. *Leer Hechos 2:1-47.*

a) ¿Cómo muestran las palabras de Pedro en Hechos 2:23, 36 que la responsabilidad de la muerte de Jesús recayó sobre toda la nación judía? (1 Tes. 2:14, 15.)

b) ¿Qué buen ejemplo dio Pedro de razonar con las Escrituras? (Hech. 2:16, 17, 29, 31, 36, 39; Col. 4:6.)

c) ¿Cómo usó Pedro la primera de "las llaves del reino de los cielos" que Jesús le había prometido? (Hech. 2:14, 22-24, 37, 38; Mat. 16:19.)

Libres de la prisión

1. ¿Qué les sucede a Pedro y a Juan una tarde cuando están entrando en el templo?

2. ¿Qué le dice Pedro al cojo, y qué le da Pedro que vale mucho más que el dinero?

3. ¿Por qué se enojan los líderes religiosos, y qué hacen con Pedro y Juan?

4. ¿Qué dice Pedro a los líderes religiosos, y qué advertencia reciben los apóstoles?

5. ¿Por qué tienen envidia los líderes religiosos, pero qué ocurre cuando ponen a los apóstoles en prisión por segunda vez?

6. ¿Cómo responden los apóstoles cuando los llevan a la sala del Sanedrín?

Preguntas adicionales:

1. *Leer Hechos 3:1-10.*

Aunque no tenemos la facultad de hacer milagros hoy día, ¿cómo nos ayudan las palabras de Pedro en Hechos 3:6 a apreciar el valor del mensaje del Reino? (Juan 17:3; 2 Cor. 5:18-20; Fili. 3:8.)

2. *Leer Hechos 4:1-31.*

Cuando afrontamos oposición en el ministerio, ¿de qué forma debemos imitar a nuestros hermanos cristianos del siglo primero? (Hech. 4:29, 31; Efe. 6:18-20; 1 Tes. 2:2.)

3. *Leer Hechos 5:17-42.*

¿De qué manera han demostrado un criterio razonable respecto a la predicación personas que no son Testigos, tanto en el pasado como en el presente? (Hech. 5:34-39.)

Esteban apedreado

1. ¿Quién es Esteban, y a hacer qué le ha estado ayudando Dios?

2. ¿Qué dice Esteban que enoja mucho a los líderes religiosos?

3. Después de que arrastran a Esteban hasta las afueras de la ciudad, ¿qué le hacen?

4. ¿Quién es el joven de la lámina que está de pie junto a los mantos?

5. ¿Qué pide Esteban a Jehová antes de morir?

6. ¿Cómo podemos copiar el ejemplo de Esteban cuando alguien nos hace algo malo?

Preguntas adicionales:

1. *Leer Hechos 6:8-15.*

¿Qué prácticas engañosas han usado los guías religiosos para tratar de detener la predicación de los testigos de Jehová? (Hech. 6:9, 11, 13.)

2. *Leer Hechos 7:1-60.*

a) ¿Qué ayudó a Esteban a hacer una defensa eficaz de las buenas nuevas ante el Sanedrín, y qué aprendemos de su ejemplo? (Hech. 7:51-53; Rom. 15:4; 2 Tim. 3:14-17; 1 Ped. 3:15.)

b) ¿Qué actitud debemos cultivar respecto a quienes se oponen a nuestra obra? (Hech. 7:58-60; Mat. 5:44; Luc. 23:33, 34.)

Historia 108

Camino a Damasco

1. ¿Qué hace Saulo después de que matan a Esteban?

2. ¿Qué cosa sorprendente pasa mientras Saulo va camino de Damasco?

3. ¿Qué le manda hacer Jesús a Saulo?

4. ¿Qué instrucciones le da Jesús a Ananías, y cómo puede Saulo ver de nuevo?

5. ¿Con qué nombre se llega a conocer a Saulo, y cómo resulta él útil?

Preguntas adicionales:

1. *Leer Hechos 8:1-4.*

¿De qué manera contribuyó a difundir la fe cristiana la ola de persecución que le sobrevino a la joven congregación cristiana, y cómo ha sucedido algo parecido en nuestros días? (Hech. 8:4; Isa. 54:17.)

2. *Leer Hechos 9:1-20.*

¿Qué triple misión tenía Jesús para Saulo? (Hech. 9:15; 13:5; 26:1; 27:24; Rom. 11:13.)

3. *Leer Hechos 22:6-16.*

¿Cómo podemos imitar a Ananías, y por qué es importante? (Hech. 22:12; 1 Tim. 3:7; 1 Ped. 1:14-16; 2:12.)

4. *Leer Hechos 26:8-20.*
¿Por qué es una fuente de ánimo para quienes tienen cónyuges no creyentes la conversión de Saulo al cristianismo? (Hech. 26:11; 1 Tim. 1:14-16; 2 Tim. 4:2; 1 Ped. 3:1-3.)

Historia 109

Pedro visita a Cornelio

1. ¿Quién es el hombre que está inclinándose en la lámina?
2. ¿Qué le dice un ángel a Cornelio?
3. ¿Qué le hace ver Dios a Pedro cuando está en el techo plano de la casa de Simón en Jope?
4. ¿Por qué dice Pedro a Cornelio que no debe inclinarse ni adorarlo?
5. ¿Por qué se sorprenden los discípulos judíos que están con Pedro?
6. ¿Qué importante lección debemos aprender de la visita de Pedro a Cornelio?

Preguntas adicionales:

1. *Leer Hechos 10:1-48.*
¿Qué muestran las palabras de Pedro registradas en Hechos 10:42 acerca de la obra de predicar las buenas nuevas del Reino? (Mat. 28:19; Mar. 13:10; Hech. 1:8.)
2. *Leer Hechos 11:1-18.*
¿Qué actitud manifestó Pedro cuando se hizo patente la dirección de Jehová respecto a los gentiles, y cómo podemos imitar su ejemplo? (Hech. 11:17, 18; 2 Cor. 10:5; Efe. 5:17.)

Historia 110

Timoteo ayudante de Pablo

1. ¿Quién es el joven de la lámina, dónde vive, y cómo se llaman su madre y su abuela?
2. ¿Qué dice Timoteo cuando Pablo le pregunta si le gustaría irse con él y Silas a predicar a gente de lugares lejanos?
3. ¿Dónde se llama cristianos por primera vez a los seguidores de Jesús?
4. ¿Cuáles son algunas ciudades que visitan Pablo, Silas y Timoteo cuando se marchan de Antioquía?
5. ¿Cómo ayuda Timoteo a Pablo, y qué pregunta deben hacerse los jóvenes de hoy en día?

Preguntas adicionales:

1. *Leer Hechos 9:19-30.*

¿Cómo mostró Pablo discreción cuando afrontó oposición a las buenas nuevas? (Hech. 9:22-25, 29, 30; Mat. 10:16.)

2. *Leer Hechos 11:19-26.*

¿Cómo muestra el relato de Hechos 11:19-21, 26 que el espíritu de Jehová está guiando y dirigiendo la predicación?

3. *Leer Hechos 13:13-16, 42-52.*

¿Cómo muestra Hechos 13:51, 52 que los discípulos no permitieron que los desanimara la oposición? (Mat. 10:14; Hech. 18:6; 1 Ped. 4: 14.)

4. *Leer Hechos 14:1-6, 19-28.*

¿Cómo nos alivia la expresión "los encomendaron a Jehová" de cualquier preocupación excesiva al ayudar a los nuevos? (Hech. 14:21-23; 20:32; Juan 6:44.)

5. *Leer Hechos 16:1-5.*

¿Cómo recalca la buena disposición de Timoteo a circuncidarse la importancia de hacer "todas las cosas por causa de las buenas nuevas"? (Hech. 16:3; 1 Cor. 9:23; 1 Tes. 2:8.)

6. *Leer Hechos 18:1-11, 18-22.*

¿Qué indica Hechos 18:9, 10 respecto a la participación personal de Jesús en dirigir la predicación, y qué tranquilidad nos da eso hoy? (Mat. 28:20.)

Historia 111

Un niño que se durmió

1. ¿Quién es el niño que está en el suelo, y qué le ha pasado?

2. ¿Qué hace Pablo cuando ve que el niño está muerto?

3. ¿Adónde van Pablo, Timoteo y los que viajan con él, y qué sucede cuando se detienen en Mileto?

4. ¿Qué advertencia da el profeta Ágabo a Pablo, y cómo se cumple lo que dice el profeta?

Preguntas adicionales:

1. *Leer Hechos 20:7-38.*

a) ¿Cómo podemos permanecer limpios "de la sangre de todo hombre", según las palabras de Pablo en Hechos 20:26, 27? (Eze. 33:8; Hech. 18:6, 7.)

b) ¿Por qué deben los ancianos adherirse "firmemente a la fiel palabra" al enseñar? (Hech. 20:17, 29, 30; Tito 1:7-9; 2 Tim. 1:13.)

2. *Leer Hechos 26:24-32.*

¿Cómo usó Pablo su ciudadanía romana al llevar a cabo la comisión de predicar que había recibido de Jesús? (Hech. 9:15; 16:37, 38; 25:11, 12; 26:32; Luc. 21:12, 13.)

A salvo en una isla

1. ¿Qué ocurre con el barco en el que está Pablo cuando pasa cerca de la isla de Creta?

2. ¿Qué dice Pablo a los que van en el barco?

3. ¿Por qué se hace pedazos el barco?

4. ¿Qué órdenes da el oficial militar encargado, y cuántas personas llegan a salvo a la playa?

5. ¿Cómo se llama la isla a la que llegan, y qué hacen con Pablo cuando el tiempo mejora?

Preguntas adicionales:

1. *Leer Hechos 27:1-44.*

¿Cómo fortalece nuestra confianza en la exactitud del registro bíblico el relato de la travesía de Pablo a Roma? (Hech. 27:16-19, 27-32; Luc. 1:3; 2 Tim. 3:16, 17.)

2. *Leer Hechos 28:1-14.*

Si los habitantes de Malta, que eran paganos, se sintieron impulsados a tratar al apóstol Pablo y a los demás pasajeros del barco con "extraordinaria bondad humana", ¿a qué deberíamos sentirnos impulsados los cristianos, y de qué manera en especial? (Hech. 28: 1, 2; Heb. 13:1, 2; 1 Ped. 4:9.)

Pablo en Roma

1. ¿A quién predica Pablo mientras está preso en Roma?

2. ¿Quién es el visitante que está sentado a la mesa, y qué está haciendo por Pablo?

3. ¿Quién es Epafrodito, y qué se lleva cuando regresa a Filipos?

4. ¿Por qué escribe Pablo una carta a su buen amigo Filemón?

5. ¿Qué hace Pablo cuando lo ponen en libertad, y qué le ocurre después?

6. ¿A quién usa Jehová para escribir los últimos libros de la Biblia, y de qué habla el libro de Revelación?

Preguntas adicionales:

1. *Leer Hechos 28:16-31 y Filipenses 1:13.*

¿Cómo usó Pablo su tiempo mientras estuvo preso en Roma, y qué efecto tuvo en la congregación cristiana su fe inquebrantable? (Hech. 28:23, 30; Fili. 1:14.)

2. *Leer Filipenses 2:19-30.*

¿Qué palabras de aprecio escribió Pablo acerca de Timoteo y Epafrodito, y cómo podemos imitar el ejemplo del apóstol? (Fili. 2:20, 22, 25, 29, 30; 1 Cor. 16:18; 1 Tes. 5:12, 13.)

3. *Leer Filemón 1-25.*

a) ¿Sobre qué base instó Pablo a Filemón a hacer lo que era propio, y cómo sirve esto de guía a los ancianos hoy día? (File. 9; 2 Cor. 8:8; Gál. 5:13.)

b) ¿Cómo muestran las palabras de Pablo en Filemón 13, 14 que respetaba la conciencia de los demás miembros de la congregación? (1 Cor. 8:7, 13; 10:31-33.)

4. *Leer 2 Timoteo 4:7-9.*

Al igual que el apóstol Pablo, ¿por qué podemos confiar en que Jehová nos recompensará si nos mantenemos fieles hasta el fin? (Mat. 24:13; Heb. 6:10.)

Historia 114

El fin de toda maldad

1. ¿Por qué habla la Biblia de caballos en el cielo?

2. ¿Cómo se llama la guerra de Dios contra la gente mala de la Tierra, y para qué es esta guerra?

3. Como se ve en la lámina, ¿quién es el que guiará la pelea, por qué lleva una corona, y qué significa el que lleve una espada?

4. Teniendo en cuenta las historias 10, 15 y 33, ¿por qué no debería sorprendernos el que Dios vaya a destruir a la gente mala?

5. ¿Cómo muestran las historias 36 y 76 que Dios destruirá a las personas malas aunque digan que lo adoran?

Preguntas adicionales:

1. *Leer Revelación 19:11-16.*

a) ¿Cómo muestran claramente las Escrituras que el jinete del caballo blanco es Jesucristo? (Rev. 1:5; 3:14; 19:11; Isa. 11:4.)

b) ¿Cómo confirma la sangre rociada en la prenda de vestir exterior de Jesús que su victoria es contundente y completa? (Rev. 14:18-20; 19:13; Isa. 63:1-6.)

c) ¿A quiénes probablemente se incluye en los ejércitos que siguen a Jesús en su caballo blanco? (Rev. 12:7; 19:14; Mat. 25:31, 32.)

Historia 115

Nuevo paraíso terrestre

1. Según la Biblia, ¿de qué condiciones disfrutaremos en el Paraíso terrestre?

2. ¿Qué promete la Biblia para los que vivan en el Paraíso?

3. ¿Cuándo se encargará Jesús de que tenga lugar este maravilloso cambio?

4. Cuando Jesús estuvo en la Tierra, ¿qué hizo para mostrar lo que haría como Rey del Reino de Dios?

5. ¿De qué se encargarán Jesús y los que gobiernen la Tierra con él desde el cielo?

Preguntas adicionales:

1. *Leer Revelación 5:9, 10.*

¿Por qué podemos tener la seguridad de que los reyes y sacerdotes que gobiernen la Tierra durante el Reinado Milenario serán comprensivos y misericordiosos? (Efe. 4:20-24; 1 Ped. 1:7; 3:8; 5:6-10.)

2. *Leer Revelación 14:1-3.*

¿Qué significa el hecho de que los 144.000 tengan escrito en sus frentes el nombre del Padre y el nombre del Cordero? (1 Cor. 3:23; 2 Tim. 2:19; Rev. 3:12.)

Historia 116

Cómo vivir para siempre

1. ¿Qué necesitamos aprender si queremos vivir para siempre?

2. ¿De qué forma podemos aprender acerca de Jehová Dios y de Jesús, como están haciendo la niñita de la lámina y sus amigos?

3. ¿Qué otro libro se ve en la lámina, y por qué deberíamos leerlo con frecuencia?

4. Además de aprender de Jehová y de Jesús, ¿qué más se necesita para conseguir la vida eterna?

5. ¿Qué lección aprendemos de la historia 69?

6. ¿Qué nos enseña el buen ejemplo del pequeño Samuel, en la historia 55?

7. ¿Cómo podemos seguir el ejemplo de Jesucristo, y si lo hacemos, de qué podremos disfrutar en el futuro?

Preguntas adicionales:

1. *Leer Juan 17:3.*

¿Cómo muestran las Escrituras que adquirir conocimiento de Jehová Dios y Jesucristo implica más que simplemente aprender datos de memoria? (Mat. 7:21; Sant. 2:18-20; 1 Juan 2:17.)

2. *Leer Salmo 145:1-21.*

a) ¿Cuáles son algunas de las muchas razones que tenemos para alabar a Jehová? (Sal. 145:8-11; Rev. 4:11.)

b) ¿De qué manera es Jehová "bueno para con todos", y cómo debería esto acercarnos cada vez más a él? (Sal. 145:9; Mat. 5:43-45.)

c) Si amamos a Jehová, ¿qué nos sentiremos impulsados a hacer? (Sal. 119:171, 172, 175; 145:11, 12, 21.)

¿Desea más información?

Escriba a la sucursal de los testigos de Jehová que corresponda.

ALBANIA: PO Box 118, Tirana. **ALEMANIA:** Am Steinfels, 65618 Selters. **ANGOLA:** (Caixa Postal 6877, Luanda Sul. **ANTIGUA:** PO Box 119, St. John's. **ARGENTINA:** Casilla 83 (Suc. 27B), C1427WAB Cdad. Aut. de Buenos Aires. **ARMENIA:** PO Box 75, 0010 Ereván. **AUSTRALIA:** PO Box 280, Ingleburn, NSW 1890. **AUSTRIA:** PO Box 67, A-1134 Viena. **BAHAMAS:** PO Box N-1247, Nassau, NP. **BARBADOS, W.I.:** Crusher Site Road, Prospect, BB 24012 St. James. **BÉLGICA:** rue d'Argile-Potaardestraat 60, B-1950 Kraainem. **BENÍN:** 06 BP 1131, Akpakpa pk3, Cotonou. **BIELORRUSIA:** PO Box 9, 220030 Minsk. **BOLIVIA:** Casilla 6397, Santa Cruz. **BRASIL:** CP 92, Tatuí-SP, 18270-970. **BULGARIA:** PO Box 424, 1618 Sofía. **BURKINA FASO:** 01 BP 1923, Ouagadougou 01. **BURUNDI:** BP 2150, Buyumbura. **CAMERÚN:** BP 889, Duala. **CANADÁ:** PO Box 4100, Georgetown, ON L7G 4Y4. **CENTROAFRICANA, REPÚBLICA:** BP 662, Bangui. **CHECA, REPÚBLICA:** PO Box 90, 198 00 Praha 9. **CHILE:** Casilla 267, Puente Alto. **CHIPRE:** PO Box 11033, CY-2550 Dali. **COLOMBIA:** Apartado 85058, Bogotá. **CONGO, REPÚBLICA DEMOCRÁTICA DEL:** BP 634, Limete, Kinshasa. **COREA DEL SUR:** PO Box 33, Pyungtaek PO, Kyunggi-do, 450-600. **COSTA RICA:** Apartado 187-3006, 40104 Barreal de Heredia. **CÔTE D'IVOIRE (COSTA DE MARFIL):** 06 BP 393, Abiyán 06. **CROACIA:** PP 58, HR-10090 Zagreb-Susedgrad. **CUBA:** Ave. 15 No. 4608, Playa, Ciudad Habana. **CURAZAO, ANTILLAS HOLANDESAS:** PO Box 4708, Willemstad. **DINAMARCA:** PO Box 340, DK-4300 Holbæk. **DOMINICANA, REPÚBLICA:** Apartado 1742, Santo Domingo. **ECUADOR:** Casilla 09-01-1334, Guayaquil. **EL SALVADOR, C.A.:** Apartado 401, San Salvador. **ESLOVAQUIA:** PO Box 2, 830 04 Bratislava 34. **ESLOVENIA:** pp 22, SI-1241 Kamnik. **ESPAÑA:** Apartado 132, 28850 Torrejón de Ardoz (Madrid). **ESTADOS UNIDOS:** 25 Columbia Heights, Brooklyn, NY 11201-2483. **ESTONIA:** PO Box 1075, 10302 Tallin. **ETIOPÍA:** PO Box 5522, Adís Abeba. **FILIPINAS:** PO Box 2044, 1060 Manila. **FINLANDIA:** PO Box 68, FI-01301 Vantaa. **FIYI:** PO Box 23, Suva. **FRANCIA:** BP 625, F-27406 Louviers cedex. **GEORGIA:** PO Box 237, 0102 Tbilisi. **GHANA:** PO Box GP 760, Accra. **GRAN BRETAÑA:** The Ridgeway, Londres NW7 1RN. **GRECIA:** Kifisias 77, GR 151 24 Marousi. **GUADALUPE, F.W.I.:** Montmain, 97180 Sainte-Anne. **GUAM:** 143 Jehovah St, Barrigada, GU 96913. **GUATEMALA:** Apartado 711, 01901-Guatemala. **GUAYANA FRANCESA:** 328 CD 2, Route du Tigre, 97300 Cayenne. **GUINEA:** BP 2714, Conakry 1. **GUYANA:** 352-360 Tyrell St, Republic Park Phase 2 EBD. **HAITÍ:** PO Box 185, Port-au-Prince. **HAWÁI:** 2055 Kamehameha IV Road, Honolulú, HI 96819-2619. **HONDURAS:** Apartado 147, 11102 Tegucigalpa. **HONG KONG:** 4 Kent Road, Kowloon Tong, Kowloon. **HUNGRÍA:** Budapest, Pf 20, H-1631. **INDIA:** PO Box 6441, Yelahanka, Bangalore-KAR 560 064. **INDONESIA:** PO Box 2105, Yakarta 10001. **IRLANDA:** Newcastle, Greystones, Co. Wicklow. **ISLANDIA:** Sogavegur 71, IS-108 Reikiavik. **ISRAEL:** PO Box 29345, 61293 Tel Aviv. **ITALIA:** Via della Bufalotta 1281, I-00138 Roma RM. **JAMAICA:** PO Box 103, Old Harbour, St. Catherine. **JAPÓN:** 4-7-1 Nakashinden, Ebina City, Kanagawa-Pref, 243-0496. **KAZAJISTÁN:** PO Box 198, Almaty, 050000. **KENIA:** PO Box 21290, Nairobi 00505. **KIRGUISTÁN:** PO Box 80, 720080 Biskek. **LETONIA:** A.k. 15, Riga, LV-1001. **LIBERIA:** PO Box 10-0380, 1000 Monrovia 10. **LITUANIA:** Pd 2632, LT-48022 Kaunas. **MACEDONIA:** Pf 800, 1000 Skopie. **MADAGASCAR:** BP 116, 105 Ivato. **MALASIA:** Peti Surat No. 580, 75760 Melaka. **MALAUI:** PO Box 30749, Lilongwe 3. **MALTA:** IBSA House, Triq il-Waqqafa, Mosta MST 4486. **MARTINICA:** BP 585, 97207 Fort de France Cedex. **MAURICIO:** Rue Baissac, Petit Verger, Pointe aux Sables. **MÉXICO (también Belice):** Apartado Postal 895, 06002 México, D.F. **MOLDAVIA:** PO Box 472, MD-2005 Chişinău. **MOZAMBIQUE:** PO Box 2600, 1100 Maputo. **MYANMAR:** PO Box 62, Yangon. **NEPAL:** PO Box 24438, GPO, Katmandú. **NICARAGUA:** Apartado 3587, Managua. **NIGERIA:** PMB 1090, Benin City 300001, Edo State. **NORUEGA:** Gaupeveien 24, NO-1914 Ytre Enebakk. **NUEVA CALEDONIA:** BP 1741, 98874 Pont des Français. **NUEVA ZELANDA:** PO Box 75142, Manurewa, Manukau 2243. **PAÍSES BAJOS:** Noordbargerstraat 77, NL-7812 AA Emmen. **PANAMÁ:** Apartado 0819 - 07567, Panamá. **PAPÚA NUEVA GUINEA:** PO Box 636, Boroko, NCD 111. **PARAGUAY:** Casilla 482, 1209 Asunción. **PERÚ:** Apartado 18-1055, Lima 18. **POLONIA:** ul. Warszawska 14, PL-05830 Nadarzyn. **PORTUGAL:** Apartado 91, P-2766-955 Estoril. **PUERTO RICO:** PO Box 3980, Guaynabo, PR 00970. **REUNIÓN:** 76, Chemin Bœuf Mort, 97419 La Possession. **RUANDA:** BP 529, Kigali. **RUMANÍA:** PO Box 132, OP 39, Bucureşti. **RUSIA:** PO Box 182, 190000 San Petersburgo. **SALOMÓN, ISLAS:** PO Box 166, Honiara. **SAMOA:** PO Box 673, Apia. **SENEGAL:** BP 29896, 14523 Dakar. **SERBIA:** PO Box 173, SRB 11080 Beograd/Zemun. **SIERRA LEONA:** PO Box 136, Freetown. **SRI LANKA:** 711 Station Road, Wattala 11300. **SUDÁFRICA:** Private Bag X2067, Krugersdorp, 1740. **SUDÁN:** PO Box 957, 11111, Khartoum State. **SUECIA:** PO Box 5, SE-732 21 Arboga. **SUIZA:** PO Box 225, 3602 Thun. **SURINAM:** PO Box 2914, Paramaribo. **TAHITÍ, POLINESIA FRANCESA:** BP 7715, 98719 Taravao. **TAILANDIA:** PO Box 7 Klongchan, Bangkok 10 240. **TAIWÁN:** 3-12, Shetze Village, Hsinwu 32746. **TANZANIA:** PO Box 7992, Dar es Salaam. **TOGO:** BP 2983, Lomé. **TRINIDAD Y TOBAGO:** Lower Rapsey Street & Laxmi Lane, Curepe. **TURQUÍA:** PO Box 23, 34378 Şişli-Estambul. **UCRANIA:** PO Box 955, 79491 Lviv - Briukhovychi. **UGANDA:** PO Box 4019, Kampala. **URUGUAY:** Casilla 17030, César Mayo Gutiérrez 2345 y Cno. Varzi, 12500 Montevideo. **VENEZUELA:** Apartado 20.364, Caracas, DC 1020A. **ZAMBIA:** PO Box 33459, 10101 Lusaka. **ZIMBABUE:** Private Bag WG-5001, Westgate. www.watchtower.org